みぞれ

重松 清

角川文庫 15235

目次

みぞれ

拝啓ノストラダムス様

1

いまさらグチこぼしてもしょーがないってのは、わかってる。

あんたに文句つける前に自分を恥じろって、カスミにも言われた。

カスミって誰だか、あんた知らないだろ。な？　いちいち紹介してやんなきゃわかんねーんだよな？　情けねーっ。世の中のこと、人類のこと、なんでもお見通しじゃなかったのかよ。ニッポンの、トーキョーの、女子高生のことぐらい、オレが説明しなくたってわかるんじゃなかったの？

って、これもグチ？　っていうかイヤミってやつ？

教えてやるよ。カスミはオレの幼なじみだ。べつに好きとか嫌いとか、カレシがどーとかカノジョがどーとかって関係じゃないけど、同じマンションで生まれ育ったせいで、ガキの頃からのオレのこと、誰よりもくわしく知ってる。もしかしたら、親よりも、はるかに。

だから、去年のいまごろ——六月の終わり、当時中学三年生だったオレが学校にも行けないぐらい落ち込んでた理由も、同い歳のカスミはよーく知ってる。親も教師も首をひねるだけだったけど、カスミにはお見通しだった。いや、それ、マジ。なにごとも理由が見つけられないと不安でしょーがないウチの親が「大学病院で精密検査を」とか「カウンセリングを」とかヤバげなことを言いだしたとき、「八月になればだいじょうぶだと思いますよ」とガキの分際で思いとどまらせたのも、なにを隠そう、カスミだ。

どうだ？　すげーよな。カスミって予言者かもしれない。あんたよりずっと、はるかに、百万倍も、信頼できる予言者——。

で、その予言者カスミは、去年のいまごろ、オレの閉じこもる部屋を訪ねては、教えさとすように言っていたものだ。

「あとでぜーったい後悔すると思うよ。『オレって死ぬほどタコ』って、頭抱えて転げまわっちゃって、マジ自殺したくなるかもしれないよ」

信じるな——ってさ。

あんなの嘘っぱちなんだから——って。

「それにさー、もしも、だよ、万々々々々が一、ユウくんの考えるとおりになったとしても、ってことは人類滅亡じゃん、部屋にいても学校にいても、どーせ死んじゃうんだよ」

だったらみんなといっしょににぎやかに死んでいったほうがいい、というのがカスミの考え方。

オレは、死ぬときぐらいは一人静かに運命を噛《か》みしめながらくたばりたい、って思う奴。

ま、とにかく、去年の七月に人類は滅亡してしまう——はずだった。

そうだろ？　あんた確かに、そう言ってたんだよな、十六世紀のうちに。

一九九九年の七の月に、空から恐怖の大王が降ってきて、アンゴルモアの大王をよみがえらせる。

なんか、地球がすげーことになるんだよな？

世界中で原発がぶっ飛ぶようなレベルの、ヤバいこと、起きちゃうんだよな？

あんた、そう言ってたじゃん。

オレ、信じたよ、あんたの予言。まわりの奴らから笑われても、バカにされても、不気味がられても、小学五年生のときにテレビであんたの予言を紹介する番組を観て以来、あんたの予言のすごさにビビって、尊敬して、百パーセント信じてた。

いまにして思えば、あの番組、サイエンス・スペシャルじゃなくてオカルト・スペシャルだったんだよな。いまはもう消えてしまったお笑いタレントが司会をつとめ、ゲストに稲川淳二《いながわじゅんじ》と大槻《おおつき》ケンヂもいたんだよな、いなかったっけ、でもふつーいるよなあの二人、オカルト色モノ系番組には。

でも、あのときのオレは、それがただのお笑い番組だとは思いもよらず、おどろおどろしいナレーションの声にあおられるようにして、ヤベえよ地球アウトじゃん、オレらもうすぐ死んじゃうんじゃん、って身震いしてた。ゲストに政治家とか国連の代表とかがいないのが不思議でしょうがなくて、どーして日本って国は危機管理が甘いんだ、なんつって、そんな難しい言葉は知らなかったけどさ、とにかく一人でビビりまくってたってわけだ。

UFOとか心霊写真とか前世とかってのはぜんぜん信じないオレだけど、あんたの予言は信じたよ。理屈で納得して受け入れるっていうより、胸にダイレクトに突き刺さった。

オレ、あんたのこと信じてたんだよ、何度でも言うけどさ。去年の七月で人類の歴史は終わるんだと思ってたんだよ。だから、そこから先のこと——たとえば高校受験とか、考えてもしょーがないって思ってたんだよ。

「ユウくん、あとでほんっとに後悔しちゃうよ、人生取り返しがつかなくなるよ、ちゃんと受験勉強しなよ。ね？」

カスミに何度言われても、オレは自分の考えを変えなかった。人生のゴールは一九九九年七月。そこから先は、ない。去年のいまごろは、たまに街を歩いて赤ちゃんを見かけると、「ああ、おまえはなんのために生まれてきたんだ……」って思わず涙ぐんじゃったりした。老人介護のニュースで寝たきりの老人を見ると、「もうすぐですよ、もうすぐみんな揃って冥土《めいど》に行けますよ、もうちょっとの辛抱ですよ」なんて心の中で語りかけていたものだった。

バカ。ほんと、オレって、死ぬほどバカ。

カスミの入学した高校より三ランクも低い定員割れの都立高校に通ういま、つくづく、心の底から、そう思う。

おい、こら、ノストラダムス。オレ、あんたのこと、マジ許さねえ。オレの人生を、青春を、返せっつーの……。

滅亡するはずだった人類は、いまも皆さんピンピンしてる。オレは予言が空振りだったショックに包まれたまま、ボーゼンとして一年間を過ごした。ほんとうは人類は予言どおり滅亡していて、いまオレが見ているのは幻の世界なんじゃないかって思うほど、頭のピントが合っていなかった。

それがようやく我に返ったのは、おとつい。

マンションの前に停まった救急車のサイレンの音と、ストレッチャーに載せられたカスミの姿が、夢見心地のつづいていたオレを、生きるはずじゃなかった西暦二〇〇〇年の現実に放り込んだのだった。

2

カスミが救急車で病院に運ばれたのは深夜だった。一時をまわっていた、と思う。

急性胃炎。

カスミんちのおばさんは、翌日——つまり昨日、ウチのオフクロにカスミの病名をそう説明した。地域でいちばんの進学校に入学して、いろいろプレッシャーもかかっていたようだ、と。

オフクロはその言葉を真に受けたようだけど、オレは違う。

オレんちはマンションの七階だから、エントランス付近の話し声は聞こえない。それでも、窓から見下ろした光景——ストレッチャーに横たえられたカスミと、泣きながら追いすがる母親の様子は、胃が痛いとかゲロ吐いたとか、そんなレベルのものじゃなかった。もっと緊急事態発生っつーか、もっと命ヤバいじゃんっつーか、いやマジに、日本語おかしいけど、ヤバ系の救急車出動だった。

「そう？　ふつうなんじゃない？」

同じ七階からの野次馬のくせに、オフクロはのんきに首をひねる。

「そんなことないって。おばさんパニックだったじゃん」

「救急車呼ぶときなんて、誰だってパニックになるわよ。落ち着きはらってるほうがおかしいじゃない」

「そりゃあ、まあ、そうだけどさ……」

うまく説明できない。オレの語彙《ごい》が乏しいとか理屈をこねるのが苦手だとかっていう問題じゃなくて、こーゆーのって、パッと見た瞬間の印象がすべてなんだと思う。オレは七階の窓から下を覗《のぞ》き込んだ瞬間、ヤバいじゃんよこれ、と思い、オフクロは思わなかった、それだけのことだ。あとからどんなに言葉を並べたって、わかんない奴にはわかんない。

「ユウ」

オフクロが言う。ちょっとマジな顔になっていた。

「あんたねえ、そんなふうに思いこむのって、いいかげんにやめなさいよ。ほんとに、人生棒に振っちゃうわよ」

両目の脇に掌《てのひら》を添えて、一直線に前に伸ばす。思いこんだら一筋って、猪突猛進《ちょとつもうしん》のポーズだ。

「もうノストラダムスで懲りたでしょ、あんなワケのわからないもの信じちゃって」

「うっせーなあ……」

「もっと視野を広く持たなきゃだめよ」

悔しいが言い返せない。一九九九年七月の人類滅亡を信じたオレがバカだった。ノストラダムスに人生を託して、一九九九年八月以降のことなんて、なーんにも考えてなかったオレが、とにかく愚かだった。

それは認める。

だが、何度思い返しても、救急車に乗せられるカスミと、カスミに付き添う母親の様子は、やっぱりヘンだった。

急性胃炎なんかじゃない、絶対に……九分九厘……たぶん……もしかしたら……万が一かもしれないけど……やっぱ、そーでもないのかなあ……。

おいこら、ノストラダムス。

てめーの与太を信じたせいで、オレは自分の判断にまるっきり自信が持てなくなっちまった。ひとの意見を「これは正しい」「そんなことないだろう」なんていうふうに決める、その根っこの部分がぐらつくようになった。

「違うね」――いつだったっけ、カスミに言われたことがある。

「ユウくんはノストラダムスの予言を信じてたわけじゃなくて、人類がもうすぐ滅亡するってのが気に入ってただけなんだよね」

「なんでだよ」

「滅亡したほうがいいから、じゃないの？」

「だから、なんでオレがそう思わなきゃいけないんだっつーの」

「……よくわかんないけど」

そのときは中途半端なところで話が終わってしまったが、いま、なんとなく、思う。

カスミの言ってたこと、正解かもしれない。人類が滅亡するってことは、とーぜんオレも死んじゃうってことで、「死ぬのが好きか嫌いか」って訊《き》かれたら、そりゃあ嫌だけど、でも、まあ、それならそれでしょーがないかなっつーか、あきらめてるより
もうちょっと前向きに「死ぬ」ってことを受け入れてて、なんか、そこにゴールが見

えてるんだってことに安心するような気もして……。

　よくわかんないんだけどさ。


　オレの予感は正しかった。

　カスミが救急車で運ばれてから一日半たった今日の夕方――ついさっき、オフクロが青ざめた顔で、学校から帰ってきたオレを迎えたのだ。

「どうしたの？」と訊くと、オフクロはオレを突き飛ばすようにして玄関から廊下に顔を出し、左右に振って、誰もいないのを確かめるとようやくホッとした顔になって、深々とため息をついた。

　そして、きょとんとするオレに、届いたばかりの夕刊を手渡した。

　三面記事のトップ――〈死のホームページ〉と、大きな文字の見出しが目に飛び込んできた。つづけて〈青酸カリ・睡眠薬宅配　自殺者すでに全国で五人　いずれも十代〉の見出しも。

　インターネットを使って、青酸カリや睡眠薬を通信販売するホームページがある、らしい。若者たちの間でその情報がひそかに広がって、実際にそれを服《の》んで自殺したり自殺を図ったりというケースが相次いでいるのだという。

怪訝《けげん》なまま顔を上げると、オフクロは「そこに自殺未遂の女子高生の話が出てるでしょ」と少し震える声で言った。

確かに、社会面を三分の一ほど使った記事の真ん中あたりに、睡眠薬で自殺を図った都立高校一年生の女の子のことが書いてある。おとついの夜だった。進学校に通う彼女は成績も優秀で、友人関係にも大きなトラブルはなく、教師も両親も「自殺を図った理由はまったく思い当たらない」と話している。

オレはまた顔を上げた。今度はもう話の筋道がわかって、わかったからこそよけい困惑して、そんなオレにオフクロはため息交じりに言った。

「カスミちゃん、あんたに会いたいって言ってるんだって……」

3

カスミのベッドは、六人部屋のいっとう窓際だった。付き添っていた母親はオレに気づくとバツの悪そうな顔になって、前もってカスミに言われていたのだろう、オレと付き添いをバトンタッチするみたいに席をはずした。オレの前を通り過ぎるときも目を合わせず、黙って外に出ていく後ろ姿は、急に老け込んだように見えた。

そりゃあ、まあ、そうだよな……とため息交じりに母親を見送って、ベッドに向き直ると、カスミは横になったまま「やっほー」と笑った。表情や声の響きは、いままでどおり。やつれた様子もない。母親のほうがずっと入院患者にふさわしい。

少しホッとして、そのぶん腹立たしくもなって、オレはさっきまで母親の座っていた椅子に乱暴に腰を下ろした。

「おまえさあ、なに考えてんだよ。マジ、信じらんねーよなあ、こいつ」

家を出る前にリハーサルしておいた言葉を、リハーサルよりうわずった声で口にした。

「あたしも、信じられない」とカスミは言う。

「なに言ってんだよ、自分で睡眠薬服《の》んだんじゃねーかよ」

「まあね……」

「わけのわかんねーインターネット通販なんかにひっかかってさ、おまえ、意外とバカだったのな」

いつもなら「ノストラダムス信じるようなバカにバカって言われる筋合いないっつーの」と言い返すカスミだが、いまは力のない微笑《ほほえ》みを浮かべるだけだ。

オレもつづく言葉に詰まってしまい、とりあえずバッグからお見舞いの品の入った包みを取り出した。

「手ぶらってわけにはいかないんだから」とオフクロに臨時の小遣いをもらったのだ。花を買っていけ、と言われた。「菊の花なんて買っちゃだめよ」――危ないところだった。

だが、駅前の花屋の店先にたたずむと、なんだか急に恥ずかしくなって、花とかって嘘っぽいよなあ、という気にもなった。

だから――。

「ユウくん、なに買ってきてくれたの?」

「本。退屈してると思って」

「ノストラダムス系?」

「バーカ、違うっての。マジな本だよ、名作だよ、ベストセラーだよ」

『葉っぱのフレディ』を買ったのだ。

読んだことはないけどベストセラーになったっていうのは知ってる。命の尊さと生きることの素晴らしさをテーマにした本だ、ということも。

ベッドに寝そべったまま包みをていねいに取ったカスミは、本の表紙を見ると、ふうん、と笑った。喜んでいるような、そうでもないような。でも、オレがこの本を選んだ理由は伝わっているようだ、なんとなく。

「いつ退院できるんだよ」

「うん……体のほうにぜんぜん問題ないんだけど、もうちょっとゆっくり休もうか、って」

「なんか、マスコミとかすごいみたいだぜ」

「うん、お母さんも言ってた。電話とか夜中にもかかってくるんだって。サイテーだよね」

オレもそう思う。

だが、マスコミが大騒ぎする理由もわかる。

〈死のホームページ〉の通販を利用した自殺者は、今朝のニュースでは七人に達していた。昨日の夕刊の時点から二人増し。ニュースのレポーターは、死んだ二人は夕刊の報道を見て「薬を取り返される前に」と駆け込み自殺をしたのではないか、と推理していた。

現在、警察では通信販売の顧客リストの解析を進め、青酸カリや睡眠薬が販売された先の割り出しを急いでいます——ニュースの締めくくりの言葉を聞いたとき、オレ、自分でもよくわからないけど、「そんなのよけいなお世話じゃんよ」とつぶやいていた。青酸カリで誰か他人を殺すっていうのはヤバいけど、自分で使うんならべつにいいじゃん、と思う。

評論家や学者や医者の言うように、やっぱ、オレらってどこかおかしいんだろうか。命の重みってのがわからない、とんでもない奴ら、なんだろうか。

カスミは『葉っぱのフレディ』を枕元に置いて、胸の上で両手を組んだ「ご臨終」のポーズをつくった。天井をぼんやり見つめて、ゆっくりと息をつく。

「ねえ、ユウくん、ひとつお願い事してもいい?」――オレのほうを見ずに言った。

「なんだよ」

あまり、いい予感はしない。

「薬なんだけど、まだ、あるのよ」

ほら、当たっちまった。

「……どーゆー意味だよ」

「ゲームなの」

カスミはあいかわらず天井を見つめたまま、さらりと言った。

薬の瓶の中に三百個以上のカプセルが入っている。その大半は胃薬だが、三人ぶんの致死量にあたる睡眠薬が小分けにされたカプセルも含まれているし、確率五分五分で青酸カリのカプセルも瓶の中に一つだけ、ある。

一日にカプセルを三個ずつ服む。三個とも睡眠薬だった場合には、致死量。もちろん青酸カリのカプセルが中に入っていて、それを服んだら、一発でアウト。今回の自殺未遂は、三個中二個が睡眠薬だったんじゃないか、とカスミは言う。

「惜しかったよね、パチンコのスロットみたいに、あと一個揃えば大当たりだったのに」

「……青酸カリの可能性だってあるんだろ」

「瓶の中に入ってれば、ね。それがわからないところがゲームなんだってば」

ぞっとした。

と同時に、急に胸がむかむかしてきた。怒りというより、なにか、そーゆーの許しちゃいけないだろって、でも、そーゆーの「あり」かもなって納得してもいるような、ヘンな気分だった。

「おまえ、なんで死にたいの？」

カスミは黙って、小さくかぶりを振る。

「死ぬ理由ないじゃん」

「でも……生きる理由も、そんなにあるってわけじゃないんだよね……」

「いや、だけどさ」と言いかけたオレをさえぎって、カスミは初めてこっちを見た。

「ウチの部屋の、メーターボックスあるでしょ、廊下に。そこに隠してあるから」

欲しければあげるよ――カスミは言った。

4

薬はカスミの言葉どおり、マンションの外廊下に面したメーターボックスに隠してあった。おばさんに渡すことも一瞬考えたが、カスミはオレだけに秘密を打ち明けたのだ、裏切ることはできない。

薬の瓶を持って家に帰った。友だちから借りたポルノ雑誌を持ち帰るときよりずっとどきどきする。「ユウ、カスミちゃんどうだった?」とリビングから訊《き》くオフクロをシカトして、玄関からそのまま自分の部屋に入った。机の上に瓶を置いて椅子に座ると、病院をひきあげてからずっと胸の奥に溜まっていた息が、ふーう、と抜けた。

瓶の中味はすでに三分の一ほど減っている。一日三カプセルずつ服《の》んでいって、あいつ、いつからゲームをやっていたんだろう。

なにも知らなかった。別々の高校に入学してからは中学生時代みたいに毎日顔を合わせることはなくなったけど、それでもマンションの廊下やホールでばったり出くわすことは何度もあって、そのたびに「元気?」とか「ユウくん、勉強しなきゃだめだよ」とか「うっせーんだよ」とか話していたのに、なにも気づかなかった。

カスミはいつも元気で、まじめで、前向きで、口うるさいけど親切で、優しいけどおせっかいなところもあって……そんなあいつが一歩間違えれば死んじゃうヤバいゲームを黙ってつづけてたなんて、嘘だよ、やっぱ。

カプセルを一つ、出した。これがビタミン剤ならぜんぜん問題ないし、たとえ睡眠薬だったとしても、カスミの話を信じるなら致死量の三分の一だから、まあ、だいじょうぶだろう。だが、青酸カリなら——「この瓶に青酸カリのカプセルが入っていたとして」の話だし、いまオレが出したカプセルがぐーぜん「当たり」だったら、っていうレベルの確率なんだけど、もちろん確率はゼロってわけじゃなくて、だから、よーするにさ、オレってガキの頃からあみだくじとか意外と弱かったわけで、授業参観日とか自信のない問題にかぎって先生にあてられちゃうわけで、なんだか『北の国から』の純クンみたいになっちゃったけど、とにかく、いや、だから、とにかくさ、なんつーの……。

パクッ。

マンガならそんな擬音が添えられそうな感じで、オレはカプセルを口の中に放り込んだ。

目をつぶって、なかなか滲んでこない唾液をなんとかカプセルにからめて呑《の》み込み、喉《のど》とみぞおちの間にひっかかったのを、掌《てのひら》で胸を何度も叩《たた》いて腹に落とした。

サスペンスドラマで見たことがある。青酸カリを服んだら、カプセルが溶けた瞬間、血を吐いてぶっ倒れるはずだ。

だから、だいじょうぶ、これ、「はずれ」だった。

オレは肩から力を抜いた。掌がじっとりと汗ばんでいた。いまになって、膝《ひざ》が震えはじめる。がたがたと、いつまでも。


「そういえばさあ……」

翌日、オレが学校帰りに病室を訪ねると、カスミはぼうっとしたまなざしを天井に向けて言った。

「看護師さんからおもしろい話、聞いたの」

この病院には、毎年六月になると必ず自殺未遂で運び込まれてくる常連さんがいたのだという。女子大生。太宰治《だざいおさむ》の大ファン。太宰の死んだ六月が近づくと、太宰のように死にたくてたまらなくなる。

「なんだよそれ、バカじゃねーの？」

口ではあきれて笑ったが、カスミが「でも、なんかその気持ちってわかると思わない？」と言うと、ついうなずいてしまった。

「死ぬお手本があるのって、けっこう楽かも。そのひとに自分の人生も預けちゃえばいいんだし。ほら、ユウくんみたいに」

「……うっせえ」

「でもさあ、そのひと、もう死ぬ気なくなっちゃったのかなあ。『生きよう』って思うほどのなにか、見つかったのかなあ……」

カスミにはそれがないんだろうな、と思った。といって、去年までのオレにとってのノストラダムスみたいに「おまえの人生、ここまでだから」と勝手に決めてくれる相手もいない。宙ぶらりんで、ガキみたく未来がバラ色だなんて思えなくて、でもオッサンたちみたいに「昔はよかった」なんてすがれるほどの思い出もなくて……。

今日の朝刊には、〈死のホームページ〉を開いていた三十代の男が薬事法違反とかなんとかで逮捕された記事が出ていた。そいつから薬を買って自殺したり自殺を図ったりした若者のことをルポふうに報じたコラムの中に、カスミはたぶん聞かされていないだろうけど、〈都立進学校に入学したばかりのK子さん〉も出ていた。

記者はカスミが薬を買った理由を〈猛勉強のすえ志望校に合格し、目標を見失った〝燃えつき症候群〟に陥ったと見られる〉なんてふうに書いていた。誰にどんな取材をしたのかは知らないけど、それを読んだとき、思わず「嘘くせーっ」とつぶやいた。

カスミもその記事を読んだら同じようにつぶやくんじゃないかと、なんとなく、けっこう確信ありで、そう思う。

「ユウくん、あの薬、どうした？」

「……捨てちゃったよ、あんなの」

カスミは、ふうん、と小さくうなずいて、「退院したら、やっぱり返して」と言った。

「捨てたって言ってるだろ」

「いいってば」笑われた。「ユウくん、詐欺師になれないタイプだもん」

「……もう自殺なんてしない、よな？」

返事はなかった。

その夜、オレは日付が変わる頃まで、カプセルの入った薬の瓶を見つめた。

考えても考えてもどうすればいいかわからなくて、気分転換に本でも読もうかと本棚を眺めると、コミックとゲームの攻略本が並ぶなか、十冊以上のノストラダムス本の背表紙がやけに目についてしかたない。

おいこら、ノストラダムス。ほら吹きオヤジ。一九九九年七月に人類は滅亡しなかったけど、オレのすぐそばに、ひとりぼっちで滅亡したがってる奴がいるんだよ。どうすりゃいいんだよ。

なあ、どうすりゃいいんだよ、オレ……。

5

翌週、カスミは退院した。オレはカスミがおばさんに付き添われて帰ってくるぎりぎりのタイミングで、預かっていた薬の瓶をメーターボックスに戻した。

「言われたとおり返したからな、オレもう関係ねーからな、知らねーぞ」

電話でそう言うと、カスミは「けーさつとかにチクんないだけでも偉いじゃん」と笑った。入院中から薬の隠し場所を警察や学校の先生や両親にしつこく問いただされているらしい。カスミは完全黙秘。「なんかサスペンスドラマ入ってない？」と無理してジョークで訊《き》くと、「片平《かたひら》なぎさが来たらゲロったりしてね」と負けずに笑って返してきた。

「おまえ……もう服《の》まないんだよな？」

電話は向こうから切れた。


カスミは退院した翌日から、またふだんどおり学校に通いはじめた。授業中も、部活の練習中も、家に帰ってからも、自殺未遂なんて夢か幻だったみたいに、明るく過ごしているのだという。

「インターネットで買った薬って、一回分だったんだってね。だからもうだいじょうぶよね、あの子、もともとしっかりした子なんだし、自殺に憧《あこが》れたりするのってハシカみたいなものなんだから」

おばさんからカスミの様子を聞いたオフクロは、ほっとしたように言った。

オレは気のない相槌《あいづち》を打って話をきりあげ、自分の部屋に入ると六月のカレンダーを力任せに破り取った。ばかだ、みんな。なにもわかっていない。メーターボックスの中のカプセルは少しずつ、着実に、減っている。あいつはまだゲームをやめていないのだ。

七月半ば。オレは薬の瓶の中に〈いーかげんにしろ！〉とメモを入れた。翌朝見てみるとメモはなかったから、カスミは確かに読んだはずだ。けれど、次の日からもカプセルは減りつづける。

「カスミちゃん、期末試験で学年二十位以内に入ったんだって。途中で入院までしたのに、たいしたものよねえ」とオフクロが言ったその日も、カプセルは三つ減った。

夕方、駅前で部活帰りのカスミを見かけた。カスミはテニスのラケットを抱いて、男子部員と楽しそうにおしゃべりしていた。そんな日も——カプセルは減った。

七月がもうすぐ終わる。蟬の鳴く声が聞こえるようになった。ノストラダムスの予言がはずれてから二度目の夏が来た。

残りのカプセルをこっそり数えてみたら、ちょうど七月三十一日で終わる計算だった。

ノストラダムスの予言を信じていたオレは、去年の七月三十一日をどんな気分で過ごしたんだっけ。そして、翌日の八月一日の朝をどんな思いで迎えたんだっけ。ほんの一年前なのに、記憶はぼんやりとしか蘇《よみがえ》ってこない。

カスミはどうなんだろう。

青酸カリが入っているかもしれないカプセルを服みつづけたこの数カ月間、あいつは毎日、一九九九年七月三十一日と一九九九年八月一日を体験していたのかも、しれない。

二〇〇〇年七月三十一日。

河川敷の公園で恒例の納涼花火大会が開かれるせいで、夕方からなにか浮き足立ったようなざわめきが町を包み込んでいた。

そのざわめきに急《せ》かされるように、オレは晩飯をかきこんだ。

今朝早く、カプセルが残り三つになった薬の瓶に、メモを入れた。

〈夜八時　九階の非常階段の踊り場で花火見よーぜ！〉

打ち明けなければいけないことが、ある。

約束の時間きっかりに、カスミは踊り場に姿を現した。「あんまりよく見えないんじゃない？」とそっけなく言って、でもオレの隣に来て、河原のほうを眺める。

「いまは仕掛け花火だから……もうすぐデカいのがあがると思う」

悔しいけど、声がかすれた。

「花火もいいけど、ユウくん、これ見て」掌にカプセルが三つ載っていた。「これで最後。いよいよ、ここまで来たってわけ」

オレはカプセルから顔をそむけて言った。

「死なねーよ、そんなの服んだって」

カスミは「だよね」とクスッと笑う。

オレはカスミからも目をそらしてつづけた。

「……全部、取り替えてるから」

「ビタミンC？ 最近ニキビが減ったけど」

当たり、だ。同じ色のカプセルを探して粉末の薬を詰めるのに、不器用なオレ、ほんとうに苦労したのだ。

「知ってたのか、最初から」

「ううん、いま初めて」

じゃあ、なんで——と言いかけたオレをさえぎって、カスミは「ユウくんのこと信じてみようかな、って思ったの」と言った。「ユウくんの性格だったら、ぜったいに別の薬に入れ替えて返してるよね、って」

「……なんなんだよ、それ」

ムッとした。怒りというより悲しさと悔しさが、胸にこみあげてくる。

「おまえ、ふざけんなよ、まだゲームやってんのかよ！」

カスミは黙って、首を横に振った。

大きな瞳《ひとみ》が潤んでいた。

「ふざけてるかもしれないけど、でもゲームなんかじゃない……うまく言えないけど、誰かを信じてることとって、ゲームじゃないと思う……」

オレたち、やっぱりヘンなんだろうか。オトナから見れば常識の通じない宇宙人みたいなガキなんだろうか。でも、オレ、カスミの言うこと、ちょっとだけわかる。わかる自分が、ちょっとだけ嬉《うれ》しかったりもする。

カスミはカプセルを水なしで服んだ。ごくんと呑《の》み込んで、Vサインをつくって笑う。ひゅるひゅると音をたてて夜空にのぼった花火が、大きな花を咲かせた。はじける音にタイミングを合わせて、カスミは言った。

あ・り・が・と・う。

オレは聞こえないふりをして、夜空をじっと見つめた。一年前に恐怖の大王が降ってくるはずだった夜空に、また花火があがる。たった一人の滅亡を逃れた女の子を祝福してくれているみたいに、大きな、まんまるの、まぶしい花が咲いた。

正義感モバイル

1

時間はずれの渋滞につかまった。通りの先の信号が三回切り替わる間に、車の列が進んだ距離は、ほんの数メートル。

ワゴン車のセカンドシートに座った私は、隣で仮眠中の由美子《ゆみこ》さんを起こさないよう、身を前に乗り出して小声で訊《き》いた。

「事故ですか？」

助手席の高見《たかみ》さんはあくび交じりに「みたいだなあ、どうも……」と答え、運転席の長谷川《はせがわ》さんは、ひっつめた長い髪を結わえ直しながら「意外と工事かもしれませんよ」と言った。「ほら、もう十一月だから、そろそろ道路工事増える時期でしょ」

ああそうか、と高見さんはうなずいて、カーナビの画面をテレビに切り替えた。

そして、私を半分振り向いて、言う。

「これから年末にかけては、移動時間がぜんぜん読めなくなるから、早め早めに動くしかないんだ」

「はい……」

「高見さんが胃薬を手放せなくなる時期ですよね」と長谷川さんが笑うのをうけて、高見さんはサードシートを折りたたんでスペースを広げた荷台に顎《あご》をしゃくって言った。

「胃薬は青いコンテナボックスの中に入ってるから、レイちゃんも遠慮なく服《の》んで」

「はあ……」

ギャグだったのかもしれないけど、いつも睡眠不足で目の下の隈《くま》が消えない高見さんを見ていると、ちょっと笑えない。

「レイちゃん、由美子さん起こしてくれないかな。番組始まるから」

高見さんに言われて、遠慮がちに由美子さんの肩を何度かつつくと、「わかってるってば」とくぐもった声が返ってきた。寝起きの悪さは、いつものことだ。

いくつかコマーシャルが流れたあと、午後三時の時報とともに、番組タイトルがカーナビの液晶画面に映し出された。

『ミセス・ジャーナル』——硬派っぽい言葉を選んでいても、中身は要するに、ワイドショーだ。女性コーラスグループがハミングするドゥワップ風のテーマ曲は、耳にすっかりなじんだ、というよりこびりついてしまった。月曜日から金曜日まで毎日、聴いている。いつも、このワゴン車の中で。

「レイちゃん、目薬くれる？」

アイマスクをはずした目をしょぼつかせて、由美子さんが言った。目薬をさすと、今度は目元にあてる冷却シート。シートの次は、ミントタブレット。このパターンもすっかり覚えた。リクエストを先回りして熱いコーヒーをポットから紙コップに注いで渡すと、「サンキュー」と、やっと眠気のとれた顔で笑う。

番組のトップは、ゆうべ遅く離婚を発表した大物歌手夫妻のニュースだった。〈緊急速報！〉〈独占取材！〉と筆を叩《たた》きつけたような書き文字のテロップが躍る。

「張り切ってますねえ」「今日のP、エノさんだろ、先月は局長賞はずしてるから、これで一気に決めたいんじゃないか？」「で、金一封はエノさんのポケットに直行、と」……。

ぼそぼそとした声で話していた高見さんと長谷川さんは、タイミングを合わせたみたいにつまらなそうに笑った。

今日も、トぶのかもしれない。昨日もおとついもそうだったし、明日だってわからない。

由美子さんもすでにそれを覚悟しているんだろう、カーナビのほうには目も向けずにメイクを直している。

ディレクターの高見さん、カメラマン兼ドライバーの長谷川さん、そしてレポーターの由美子さん——今年の四月に『ミセス・ジャーナル』が始まって以来のトリオだ。局内では〝下請けチーム〟や〝雨傘班〟と呼ばれているらしい。

高見さんも長谷川さんも小さな制作プロダクションの社員だから、〝下請け〟。これは簡単にわかる。

でも、〝雨傘〟のほうは、ちょっと説明が必要かもしれない。昔、まだドーム球場ができる前、ナイター中継はお天気次第だった。野球が雨天中止になったら、代わりの番組を放送しなくちゃいけない。その穴埋め番組が、テレビ業界のスラングで〝雨傘〟ってわけだ。

そこから転じて、高見さんたちの仕事は、大きなニュースがない日に時間を稼ぐための〝雨傘〟。『街のホンネ』なんてベタなタイトルの街頭インタビューだ。時事ネタの感想を集めたりブレイク前の流行を紹介したりと、それなりにおもしろい取材だとは思うけど、なにしろ三分間のコーナーだし、プロデューサーからの「悪い、高見ちゃん、今日トぶから」の電話一本でおしまいの、文字どおり吹けば飛ぶような仕事だ。

「まあ、これがギョーカイの現実ってやつだからさ、こういう世界を見とくのもいいかもな」——初対面の高見さんに言われたのは、ちょうど一カ月前のことだ。

私は、〝雨傘班〟の居候。マスコミ志望の大学二年生だ。大学生活も残り半分ほどになって、そろそろ就職のことも考えなくちゃ、とゼミのOBを片っ端からあたって、高見さんの会社を紹介してもらった。〝雨傘班〟のアシスタントを無給でつとめる代わりに取材現場の厳しさと楽しさを実地体験できるはずだったんだけど……いまのところ身に染みてわかったのは、下請けの悲哀だけ。

大学の出席日数を考えると、授業をサボって〝雨傘班〟に同行できるのは、あと数日といったところだろう。

もしかしたら、残りの日もぜーんぶ、取材テープがオンエアされずに終わるのかもしれないけど。

「ヤバいっすね、もう二十分使ってますよ」

歩くより遅いスピードで車を前に進めながら、長谷川さんが言った。

今回の離婚ネタ、どうやらダンナにホモ疑惑も出ているらしい。奥さんのほうには、バブル時代の投資の損失が何億円とのウワサ。お金とセックス——ワイドショーの一番得意な分野だ。一時間の生放送を丸ごと使っても、お釣りがくるだろう。

「アウトよ、もう決まり決まり」

由美子さんがメイクの手を休めずに言ったとき、高見さんの携帯電話が鳴った。通話ボタンを押す前にディスプレイに目をやって、「エノさんから」と吐き捨てるように言う。

本日も、お蔵入り、決定——。

2

ロケ取材を終え、次の仕事があるからという由美子さんを途中で車から降ろして会社に戻ると、「晩飯食いながら、軽くビールでもどう?」と高見さんに誘われた。近所の居酒屋に入った。カウンターに並んで座って、たいして口実のない乾杯をして生ビールを飲むと、一日の疲れがいっぺんに背中から染みだしてくる。

でも、高見さんは私よりずっと疲れているはずだ。肉体的にも、精神的にも。まだ二十八歳だけど、この夏の会社の健康診断では四十代半ばの数値が出てしまったらしい。

「レイちゃんは、あと何日オレたちに付き合う予定なんだっけ」

「……来週いっぱい、ですね」

指を折って数えてみると、週末を除いて、あと九日。

「なにか勉強になったこと、あった？」

私は少し考えて、うなずくでもかぶりを振るでもなく、あいまいに顎《あご》を倒した。こういうときに気の利いた言葉が返せないってのは、マスコミ志望失格かもしれない。

「下請けのプロダクションじゃどうしようもないって、よくわかっただろ？」

黙ってしまった。それが答えになった。こういうの、バカ正直っていうのかな。

ビールが焼酎《しょうちゅう》のお湯割りに替わると、高見さんはぽつりぽつりと思い出話をはじめた。

去年のいまごろ、高見さんは夕方のニュース番組の仕事をしていた。『達人を食らう』というコーナーだ、私も何度か観たことがある。有名な料理人のいる店にシロウトの家族が出かけて食事をするという、表向きはグルメ情報の、でも実際は敷居の高い店に来てビビりまくるシロウトさんの姿を笑うという悪趣味なコーナーだった。どこかの週刊誌でコラムニストにこてんぱんに批判されて、今年に入って早々に打ち切りになった。

「出演者は街で探してくるんだ。イジメのターゲットを見つけるようなものだよ。打ち切りになって、正直言ってホッとしたんだ」

高見さんらしい。

〝雨傘班〟の仕事に一ヵ月付き合ってみると、高見さんがとにかく真面目なひとだというのがよくわかる。街頭インタビューのテーマも硬派なものが多いし、渋谷《しぶや》のガングロ・ギャルにインタビューするときも、下町の商店街でオバチャンに話を聞くときも、ぜったいに笑いものにはしない。でも、だからこそギャルやオバチャンをバカに見せたいプロデューサーのウケが悪いのも、よくわかる……。

焼酎のお湯割りを啜《すす》りかけた高見さんは、有線放送の曲に耳をとめ、グラスを口から離した。

「レイちゃんは、この曲、知ってる？」

もちろん。

十年以上前、まだ私が小学生だった頃のヒットナンバーだ。

「じゃあ歌ってるのも……」

知ってる。当時人気絶頂だったアイドルグループ。そして、由美子さんが、かつて——。

「人気あったもんなあ、あの頃」

「あ、でも、私が好きだったのって桐原恵里《きりはらえり》さんなんです」

あわてて言った。なぜあわてなくちゃいけないのか、いま言わなきゃいけなかったことなのか、自分でもよくわからなかった。

高見さんはあらためてお湯割りを啜って、ため息交じりに言った。

「あの子たちの中で生き残ったの、けっきょく桐原恵里だけだったんだなあ」

由美子さんだってがんばってるじゃないですか——とは言えない。そこまで見え透いたヨイショはできない。

グループが解散したのは、私が中学に入るか入らないかの頃だった。メンバーは全員ソロ・デビューしたけど、大物プロデューサーの矢島雅也《やじままさや》さんと組んでメガヒットを連発した桐原恵里さん以外は鳴かず飛ばずのまま芸能界から消えていった。

由美子さんも、何年か前に結婚して芸能界を引退した——と思いこんでいた。〝雨傘班〟の見学者兼アシスタントになるまで、彼女が離婚したことも、この春二十八歳で芸能界に復帰したことも知らなかった。要するに離婚も復帰も、なんの話題にもならなかったということだ。

曲が終わるのを待って、私は言った。

「由美子さん、もう歌わないんですか？」

「無理さ、レポーターの仕事だってお情けで回してもらってるようなものだから。そうじゃなかったら、事務所もマネジャーぐらいつけるだろ」

「……ですね」

「レイちゃんは気づいてないかもしれないけど、由美子さん、車の中でいつも寝てるだろ。あれ、たぬき寝入りなんだ。ついでに言うと、ウチの仕事のあとにスケジュールが入ってるっていうのも、たぶん、見栄《みえ》だ」

「ほんとですか？」

「まあ、由美子さんの気持ちもわかるような気がするけど、そろそろ限界かもなあ……本人のやる気も失《う》せかかってるし……」

だろうな、と私も思う。由美子さんの取材は、私の目から見てもおざなりだ。肝心なことを訊《き》き忘れたかと思えば、ＶＴＲ収録でもスポンサーのライバル会社の商品名をポロッと口にしたりする。そのぶん高見さんがあとで編集に苦労して、でも苦労しても〝雨傘〟はあっけなくお蔵入りしてしまい、オンエアされる保証のない仕事に由美子さんはいっそうやる気をなくしてしまう。絵に描いたような悪循環だ。

「そういえば桐原恵里だって最近はパッとしないし、とにかく大変だよ、この世界で十年、二十年とやってくのは」

高見さんはグラスに残ったお湯割りを一息にあおって、「なーんて、〝雨傘班〞に同情されるようじゃおしまいだよな」と無理に笑い、伝票を手にとった。これから今日の取材テープの編集作業が待っている。終わるのは早くても午前四時頃だという。

店に流れるメロディーは、SPEEDの曲に替わった。彼女たちももうすぐ解散する。メンバーは四人ともソロ活動をするらしいけど、これからどうなるかは誰にもわからない。

ワゴン車の中で一人でメイクをする由美子さんの姿をふと思いだすと、急に哀しくなった。由美子さんは、いま、どこでなにをして、アイドル時代とは比べものにならないほど長い夜を過ごしているんだろう……。

3

由美子さんが、キレた。

〝雨傘班〞にふさわしい冷たい雨のそぼ降る夕方、街頭インタビューの現場から逃げだしてしまった。

ロケ地は、ニュータウンの駅前遊歩道だった。近くにオープンしたばかりの深夜営業のディスカウントストアをめぐって、いわゆる〝地元住民の声〟を集めていた。取材の内容じたいは、べつに問題はない。ただ、最後に声をかけた買い物中の奥さんが、アイドル時代の由美子さんの熱狂的なファンだった。

「うそぉ、やだぁ！」

カンドーのあまり、そのひと、由美子さんに抱きつきそうな勢いで飛び跳ねた。右手にマイク、左手に傘を持った由美子さんは思わずあとずさって、遊歩道のタイルの目地にヒールをひっかけて転びそうになった。はずみで手から離れた傘が、ビル風に乗って遊歩道の上を転がっていった。私はあわてて傘を追いかけて、高見さんもすかさず自分の傘を由美子さんに差しかけた。

でも、そのひとはこっちが仕事中だなんてこれっぽっちも気にかけずに、由美子さんにサインをねだって、握手もねだって、デジカメを持ってるから記念撮影をしてくださいとまで言いだした。

由美子さんはリクエストすべてに応《こた》えた。かたちだけ困った顔をしていたけど、私の目から見てもわかる、喜んでいた。取材中にファンに会ったのなんて、私が見てきた約一ヵ月間で、これが初めてのことだったんだから。

もっとも、そのひとは現役の――〝雨傘班〟のレポーターしか仕事のない、いまの由美子さんのファンじゃなかった。

「もう歌わないんですかあ？」

私をカメラマンにしたデジカメの記念撮影のあと、元ファンは言った。

「また歌ってくださいよ、女優さんでもいいですから、もっとテレビに出てください。ぜんぜん見ないから心配してたんですよ」

ビデオカメラをかまえる長谷川さんが、ムッとした顔になった。高見さんも台本を筒にして自分の腰を叩《たた》きながら、小さく舌を打つ。

でも、由美子さんは、これもわかる、一所懸命つくり笑いを浮かべていた。アイドル時代の名残？　それとも、レポーターとしてのサバイバル術？

元ファンは、最後に言った。

「こういう仕事もいいけど、やっぱり輝いててほしいんですよね、ほら、同世代だし、私たちの青春なんですから」

由美子さんの顔色が変わった。

「そんなの背負わせないで！」

声を裏返らせて叫んで、マイクを私に押しつけて、止める高見さんの手をふりほどいて、そのままタクシー乗り場に向かって駆けだしていった。

高見さんは途中まで追いかけたけど、由美子さんがタクシーに乗り込んだのを見て足を止め、ふう、と大きく息をついて私たちを振り向いた。すべてあきらめたような……いや、最初からこうなることを覚悟していたような、力の抜けた苦笑いを浮かべて。


会社に戻る車の中で、高見さんから聞いた。

由美子さんに、年末特番のバラエティ番組から出演依頼が来ていたらしい。往年のアイドルグループ、一夜かぎりの再結成――という感じで。

「でも、メンバーでOKしたの、由美子さんだけだったんだ。それで企画も、ゆうべ正式にボツって……ヘタにOKしたぶん、一人で赤っ恥かいた恰好《かっこう》になっちゃったんだ」

「せめて桐原恵里が出てくれると、二人だけでも、って話にもなるんでしょうけどね」と長谷川さんが口を挟む。

「そんなの無理さ、最初から。由美子さんはともかく、桐原恵里にはメリットなんてないんだから」

私もそう思う。ソロ歌手として活躍中の桐原恵里さんにとっては、八年も前に解散したグループなんて、ただの通過点にすぎない。

「由美子さん、明日だいじょうぶですかねえ」

心配顔で訊く長谷川さんに、高見さんは「なんとかなるさ」と笑って答えた。「オレのほうからも電話一本入れとくし、由美子さんだってコドモじゃないんだから……」

そうだ、二十八歳の元アイドル歌手は、もうコドモじゃない。バツイチで、子連れで、芸能界の嫌な部分も思い知らされていて、それでもまたここに帰ってきたオトナ――若さを売りにできないオバサンだ。

「もしアウトだったら、レイちゃんに頼もうかな、レポーター」

高見さんは助手席から私を振り向いて、冗談めかして言った。「明日で最後なんだから、そういうのもアリかもな」とつづけ、「オンエアされるかどうかはわからないけど」と〝雨傘班〟ならではの哀しいオチをつけた。

そして、みぞおちをさすりながら。

「レイちゃん、胃薬とってくれる？」

コンテナボックスの中の胃薬は、先週二十四包入りの新しいのを買ったばかりなのに、残りはもう二包しかなかった。

胃薬の最後の一包は、次の日——居候の最終日の朝、私が服《の》んだ。高見さんの冗談が冗談じゃすまない事態になったのだ。

約束の時間を一時間過ぎても、由美子さんはまだ待ち合わせ場所の新宿駅西口に来ていない。自宅の電話もケータイも留守電になっていて、事務所に連絡も入っていない。

高見さんは、一時間半待ったところで覚悟を決めた。

「レイちゃんでいくしかないな。前振りとシメのところだけ別撮りで由美子さんにやってもらうから、取材は頼むよ。基本的にマイク持ってる手だけ撮るから。ハセちゃん、いいな、顔はNGで」

長谷川さんもこわばった表情でうなずいた。

幸い、今日の取材のテーマは月末恒例の小渕《おぶち》首相への通信簿だった。十段階評価でテンポよく答えてもらうだけだから、そんなに難しくない……はずだった。

ところが、ワゴン車が新宿の大ガードをくぐったとき、高見さんのケータイにプロデューサーから電話が入った。

たったいま飛び込んできたばかりの、大ニュース。

桐原恵里さんが、自殺を図った――。

4

マイクを向けられた誰もが、最初は「えっ、うそぉ！」と驚いた声をあげる。「やだぁ」と口元を掌で隠すひともいるし、いっしょにいた相手と顔を見合わせるひともいる。

そして。

みんな、一瞬、笑う。

ほんとうだ。最初は信じられなかったけど、あれは確かに笑顔だ、ぜんぶ。

「恵里ちゃん、かわいそう」「生きてるんですよね？　ね？」「矢島雅也がいちばん悪いんだと思いますよ」「最近、テレビで観てても、なんか目が飛んでたってゆーかあ、ヘンだったじゃないですかぁ」……。

あとにつづく言葉はさまざまだったけど、一瞬の笑顔は、みんな同じ。初心者&突然のピンチヒッターというせいだけじゃなくて、なにかむしょうに腹立たしくなってきた。

だって自殺未遂だよ？ つい一年ほど前までメガヒットを連発していた桐原恵里さんが、睡眠薬服んで手首切っちゃったんだよ？

公私両面のパートナーだったプロデューサーの矢島雅也さんに捨てられて、ぼろぼろになって、彼の部屋で死のうとしたんだよ？

笑える話じゃないじゃん。ひとの不幸を、なんで笑えるわけ？ ギャルもコギャルもオバサンもサラリーマンもチーマーも……こういうときに、なんで笑っちゃうわけ？

涙が出そうになった。通行人を呼び止める声が震えてしまい、質問を先に進めるどころか相槌《あいづち》も打てない。由美子さんにはまだ連絡がつかないんだろうか、と逃げ腰になると、たちまちトチってしまう。

高見さんが「レイちゃん、移動しようか」と言った。お疲れさまぁ、の移動じゃない。このままつづけてもムダだから、の移動だ。カメラから顔を上げた長谷川さんも、そのほうがいいですね、というふうにため息交じりにうなずいた。

高見さんは、私の腹立たしさと悲しさの理由を、ちゃんと見抜いていた。それが、甘く身勝手な考えであることも。

「みんな笑うんだよ、大きな事件や他人の不幸であればあるほど。ベテランのプロデューサーに言わせると、ここ十年ほどのことらしいんだけど、みんな真剣な顔ができなくなっちゃったってことなのかもな」

「そんなのって……」

「でも、テレビを観てるひとだって、同じだろ？　みんな笑いながら、他人の不幸を覗《のぞ》き見してるじゃないか」

それはそうだ。

私だって――笑ってる、いつも。もしも街を歩いていて、桐原恵里さんの自殺未遂のニュースを聞かされたら――「うそぉ」と驚いて、それから、うん、笑うだろうな。

「最初はオレもアタマに来てたけど、もしかしたらワイドショーって、その一瞬の笑顔があるから成り立ってるのかもしれない」

「……どういうことですか？」

「好奇心とか、ヤジ馬根性とか、無責任な同情とか、そういうのって、やっぱりみんなの本音だと思うんだ。で、オレらはＮＨＫの七時のニュースをつくってるわけじゃなくて、要はバラエティなんだよ、エンターテイメントなんだよ。本音の部分を刺激するのが商売なんだから、正義感とか倫理をふりかざしたって、しょうがないんだ」

自嘲《じちょう》めいた言い方じゃなかった。べつに誇っているとも思えないけど、現実をちゃんと受け止めて、嚙《か》みしめて、ごくんと呑《の》み込んだ、そんな感じ。

でも、納得はできない。したくない。

私は黙りこくってしまい、高見さんもそれ以上はなにも言わなかった。

車は郊外へ向かう。大型ショッピングセンターで買い物中の、恵里さんと同世代の奥さんたちを狙うらしい。

高見さんのケータイが鳴った。低い声で短く受け答えしたあと、高見さんは「ハセちゃん、テレビ入れて!」とあせった声で言った。長谷川さんがカーナビの画面をテレビに切り替えると、すぐさまチャンネルの指示。ライバル局だ。午後イチのワイドショーがちょうど始まったところで、画面には——。

「なんで?」

私は思わずシートから腰を浮かせた。

長谷川さんも「マジかよ!」と声をあげる。

由美子さんが、いた。

白いハンカチを目元にあてて、恵里さんの自殺未遂の裏事情を話していた。悲しそうに、寂しそうに、ショックを隠しきれない様子で、でも、ひさしぶりにスポットライトを浴びて、なんともいえず嬉《うれ》しそうに。

私たち〝雨傘班〟は、裏切られたのだ。


プロデューサーは高見さんに弁解すら許さず、一方的に怒鳴りまくって電話を切った。

長谷川さんが「いまの、生放送ですよね」と遠慮がちに声をかけたけど、高見さんはなにも答えず、じっと考え込んでいた。

車内に重苦しい沈黙が流れた。こういうときにかぎって道路は空《す》いていて、車は滑るように西へ向かう。都心のテレビ局にいる由美子さんから、どんどん遠ざかっていく。

液晶画面の映像は、過去の――恵里さんのアイドル時代のものに切り替わった。由美子さんも映っている。十年前の、まだ輝いていた頃の笑顔が、激しい振り付けに合わせて揺れている。

やっと赤信号で車が停まったとき、高見さんは前を向いたまま、ぽつりと言った。

「レイちゃん、この世界、なんでもありなんだ。正しいスジが通るんじゃなくて、通ったスジが正しいんだよ」

「……はい」

「由美子さんのこともそうだし、通行人が笑っちゃうことだってそうさ。けっきょく笑い話ってことなんだよ、この事件は」

「……はい」

「でも、正しいスジを通そうっていう気持ちがなかったら、やってられない世界でもあるんだけどな」

半分だけ振り向いた顔は、笑っていた。

でも、私は笑い返せない、頰から力を抜くと泣いてしまいそうだ。

高見さんのケータイが、また鳴った。「はいはーい」とけだるそうに応答した高見さんの声が、次の瞬間、甲高く跳ね上がった。

「由美子さん？」

5

都心にUターンする車の中で、高見さんのケータイが何度も鳴った。

『ミセス・ジャーナル』のプロデューサーも、由美子さんの所属するプロダクションの部長も、必死になって由美子さんを探している。

由美子さんは〝雨傘班〟を裏切ったわけじゃなかった。桐原恵里さんの自殺未遂を由美子さん復活のチャンスにしようと目論《もくろ》んだ事務所が、強引にライバル局のワイドショー出演を決めたのだ。ところが、由美子さんは、生出演したあと行方不明になった。元々は経理のおじさんだという臨時マネジャーの隙を見てダッシュで逃げ出したんだという。

高見さんがプロデューサーにも部長にも話さなかったこと――由美子さんは、いま、私たちを待っている。

由美子さんが高見さんに話していないことも、ある。由美子さんは事務所に電話をかけて、二度目の引退を告げたらしい。

「ウチらが由美子さんに会うこと、黙ったままだとまずいんじゃないんですか？」

長谷川さんが不安そうに訊《き》く。私も長谷川さんと同じ。下請けの〝雨傘班〟が局や事務所を裏切るなんて、どう考えたって無謀だ。

でも、高見さんは「いいんだ」と言った。声は震えていたけど、顔は有無を言わせない決意に満ちていた。でも、でも……答えたあとすぐにみぞおちに掌《てのひら》をあてて、

「悪い、ハセちゃん、薬屋あったら停めてくれる?」と言う。ドラッグストアの前で車が停まると胃薬を買って、その場で二包まとめて服《の》んだ。でも、でも、でも……胃薬のおかげで一息つくと、今度はユンケルのいちばん高いのを買って、これもその場で一気に服んだ。

本気だ、高見さん。

地下鉄の駅の出口で待っていた由美子さんは、予想に反して明るい表情だった。プロのメイクさんに顔をつくってもらったせいか、ふだんよりずっと華やいで見える。

「さ、仕事しようよ、高見ちゃん」

車に乗り込むと同時に言って、「今日のVTRはボツにはならないはずだから、がんばって」と長谷川さんの肩を軽く叩《たた》き、また高見さんに声をかける。

「『桐原恵里の素顔』なんてオプション付きなら、なんとかなるんじゃない? 私の独占インタビュー」

高見さんは黙っていた。長谷川さんも、もちろん私も。由美子さんはそんな〝雨傘班〟をゆっくりと眺め渡して、クスッと笑った。

「なーんてね、もう画面の中央に映るポジションじゃないんだよね、私」

高見さんは黙ってうなずいた。

「わかってる」由美子さんも素直にうなずき返す。「仕事、しよう。ネタは恵里ちゃんのことでしょ？　私がレポーターだと、通行人にも大ウケだよね」

長谷川さんがつらそうな顔でなにか言いかけたけど、高見さんはそれを手で制して、由美子さんに言った。

「お願いできますか？」

「仕事、だもん」

由美子さんは笑顔のまま、ガッツポーズをつくった。

他人の不幸に一瞬笑ってしまう無責任な通行人の皆さん相手に、由美子さんは質問を繰り返した。恵里さんと由美子さんの関係を思いだしたひともいた。いくら仕事っていっても——と由美子さんを咎《とが》めるように見るひとも、売れない元アイドルってみじめだね——と蔑《さげす》むように見るひとも、いた。でも、由美子さんは昨日みたいにキレることなく仕事をつづけた。

高見さんが、小声で私に言った。

「いまの由美子さんの姿、ちゃんと胸に焼き付けといてくれよ。やりきれなさや寂しさも、ぜんぶ。そうすれば、正義の味方とか悪を告発するとか、そういう意味じゃないんだけど、まっすぐな正義感が胸に溜《た》まってくるから」

そのときには「はあ……」としか答えられなかった高見さんの言葉の意味がわかったのは、取材がすべて終わり、いつものように由美子さんが見栄を張って「次の仕事があるから、私はここで」と車を降りた直後だった。

高見さんにマイクを渡された。

「レイちゃん、由美子さんに引退のコメントもらってきて」

長谷川さんも高見さんとアイコンタクトして、すばやく荷台からカメラを取り出した。

「あ、あの……どんなこと質問すれば……」

「レイちゃんの訊きたいことだ。これを伝えてやるんだっていう、まっすぐな気持ちがあれば、質問なんて考えなくても出てくるさ」

「そんなあ……」

「ほら、早くしないと由美子さんが人混みに紛れちゃうぞ」

背中を押されて、しかたなく車を降りたけど、夕方の雑踏を歩く由美子さんの背中を目にしたら足が勝手に駆けだしていた。

「由美子さん！　ちょっと待ってください！」

驚いて振り向いた由美子さんに、マイクを差し出した。

なにを訊く？　なにを、伝える？

決めてなんかいない。頭の中は真っ白だ。

でも、ほんとうだ、高見さんの言うとおり、胸になにかある。確かに、ある。

これを訊きたい。これを、伝えたい。

由美子さんをまっすぐ見つめ、息を大きく吸い込んで、あとは胸の中の思いに任せた。

「由美子さん……お疲れさまでした」

一瞬きょとんとした顔になった由美子さんは、なんだ知ってたの、というふうに苦笑いを浮かべて「ありがと」と言った。

「由美子さん、あの……」

「なに？」

「あの……」

思いは、胸の中ではじけてしまった。言葉のかわりに涙が出てしまう。アマチュアだ、シロウトだ、やっぱり、私はまだ。

そして、由美子さんは、最後の最後までプロだった。
長谷川さんのかまえるカメラに向かって、とびきりの笑顔を浮かべて――。

「楽しかった、さよなら」

それが、かつて一世を風靡《ふうび》したアイドルの、最後の言葉と笑顔だった。

砲丸ママ

1

ぼくのママのじまんは、あく力です——と、一人息子の作文は書き出されていた。学校の夏休みの宿題だ。『家族の得意わざ』という課題が与えられていた。

〈左は38ですが、右が50以上あります。グレープフルーツでジュースをつくるときは、しぼり器ではなく自分の手でグーッとにぎって果汁をしぼって、「これがほんとの手料理よ」と笑います〉

私はため息混じりに苦笑して、「まだそんなことやってるのか」と妻の千春を振り向いた。

「時間がないときはね。しぼり器より早いのよ」

千春は照れたり悪びれたりする様子もなく、あっさり認めた。

「あと……この、ワケのわかんないダジャレは？　ゲンが勝手につくって書いたのか？」

脱力するしかないレベルだ。

千春もため息をついて、「やめなさいって止めたんだけどね」と答えた。

「……じゃ、言ってるのか」

「だって、手でしぼったらばっちいとかなんとか文句言うから、おにぎりはどうなのよヌカ漬けはどうなのよ、おふくろの味っていうのはお母さんの手の味なのよ、って」

それは、まあ、そうだ。

「ほんと、生意気なことばっかり言うようになっちゃって」

小学五年生。「元気」の「元」という名前どおり、体を動かすのが大好きな息子だが、私から見れば、まだまだママにべったりの甘えんぼうのところがある。だが、千春は逆に、最近はゲンちゃんがちっとも寄ってこなくなって寂しい、という。こういうところが父親と母親の違いで、一人息子と母親の距離の取り方の微妙な難しさというやつかもしれない。

ゲンの作文は、さらにつづく。

〈ママはゴッツい体をしています。デブではありませんが、ゴッツいのです。筋肉質なんだと自分で言っています。中学と高校のころは、ほう丸投げをしていました。重たい鉄のボールを遠くに投げる競技です。だから、ママの得意わざは、ほう丸投げです。

「スイカ投げをしたらパパよりも遠くに投げれるよ」とじまんしています〉

私はまた、ため息をついた。

「スイカを投げてどうするんだよ」

「もののたとえだってば」

「砲丸投げが得意技ってのもなあ……」

「だって、ほかにないじゃない。もういいの、わたしのことは、はい、もうおしまい、それはどうでもいいんだから」

千春は話を元に――書きかけの作文を私にこっそり読ませたそもそもの理由に戻した。

「つづき、読んでみて」

と言われても、読むほどの分量も内容もなかった。

ママの得意技を書いたあとは、改行して〈パパのほうは、〉とつづいて――終わり。

「昨日のうちに、ここまで書いてたの」

「うん……」

「で、今日は朝から考えてたの」

「らしいな……」

「ずーっと、ずーっと、考えてたんだって」

そんな似合わないことをするから、知恵熱を出して寝込んでしまったのだ。

「昔のアルバムとかビデオとかも見て、いろいろ思いだしてみたんだけど……」

つづく言葉を言い淀《よど》んだ千春に代わって、自分で言った。それくらいの優しさはあるつもりだし、プライドだって。

「なにも浮かばなかった、と」

千春は「そうなの……」と申し訳なさそうにうなずいた。

最初は、ゲンもすぐに書けるとタカをくっていたらしい。だから、夏休みに入って真っ先に手をつけて……挫折《ざせつ》した。

「やっぱり最後に回すって。まだ一ヵ月以上あるから」

「じゃあアレか、その間に俺の得意技をなんとか見つけなきゃ、ってことか」

「……ごめんね」

べつに千春が気をつかう必要はないし、落ち込むことだってない。だが、こっちが「いやぁ、まいったなあ、得意技ないのかよパパには、あははっ」と笑うのも、なんとなくスジが違うような気がして、結局、千春と二人で黙り込むしかなかった。

得意技――。

そんなものを求められても困る。

私はゲームのキャラクターではない。変身も進化も合体もできないし、アイテムを集めて無敵になるわけでもない。ただの、どこにでもいる、平凡な、そこいらの、掃いて捨てるような、フツーの、その他おおぜいの……要するに修飾語を付ければ付けるほどむなしくなってしまう種類の男だ。

「ねえ、なにかないの？　あなたの得意技」

「……自薦かよ」

「だってしょうがないじゃない、こういうのってね、やっぱり自分からアピールしないとだめだと思うのよ」

「どういうのを得意技っていうんだ？」

「なんでもいいのよ、まわりのひとよりも得意なことだったら」

営業という仕事柄、エクセルの扱いには慣れている。喉《のど》の調子がいいときには、カラオケで森山直太朗《もりやまなおたろう》を原曲キーで歌える。ＵＦＯキャッチャーの腕前は、いまでもそう衰えてはいないはずだ。

すべて、千春に却下されてしまった。片手でグレープフルーツをしぼれるのとＵＦ

Oキャッチャーがうまいのと、たいして違いはないように思えたが、千春に言わせれば「親がゲームセンターでヒーローになってどうするのよ」——一理ある。

「じゃあ、英会話はどうだ?」

五月に受けたTOEICでは七百四十点を取った。念願の七百点超えをついに達成した。「どんな状況でも適切なコミュニケーションができる素地を備えている」とされるBレベルに到達したのは、ウチの営業部では私が初めてだった。

千春も心を動かされた様子で、「なるほどねえ……英会話かあ……」とうなずいた。

しかし、最終的にはこれも却下されてしまった。

「だって、もしも同級生のお父さんにAレベルのひとがいたらどうする? 数字とかランク分けで勝ち負けがシビアに出るのは、やめたほうがいい気がするけど」

「そうか……」

最初は軽く考え、だからこそ「親の得意技を見つけられないなんて、それでも一人息子か!」とゲンを一喝したいのが本音でもあったのだが、あんがい、奥が深いものなのかもしれない。

私たちはまた黙り込んだ。

得意技、得意技、得意技……。

沈黙に包まれたリビングダイニングに、ギッ、ギッ、というかすかな音が流れる。息を詰めてグッと力を込めたあとの、聞きようによってはなまめかしくなくもない、千春の吐息も。

また、やっている。

テーブルの下に右手を隠しているのは、せめてもの気づかいなのか、それとも、たんにそのほうが力を入れやすいから、なのか。

「今夜は何回やるんだ？」

私はゲンの作文から目を離し、千春を振り向いて声をかけた。

「二百か－い」

千春は息を詰めた声で答え、「あと半分」と付け加えた。

ハンドグリッパー――ゴツいバネを握って閉じる、握力トレーニングの器具だ。千春は「ニギニギ」と呼んでいる。そのニギニギを、千春は先月買ってきた。ヒマさえあれば握っている。ギッ、ギッ、というのはバネが軋《きし》む音なのだ。

アスリートが使う本格的なものではなく、スポーツよりもむしろ健康グッズと呼んだほうがよさそうな安物だ。バネの力も弱いし、プラスチック製のハンドルも見るからにちゃちなもので、千春も体を鍛えるためというより、手持ちぶさたのときにちょうどいいから、と買ってきたのだった。

それでも、二百回つづけるのはかなりしんどい——と、先週冗談半分に試してみて思い知らされた。スポーツやトレーニングとはまったく無縁な生活をつづけているせいで、五十回ほど握っただけで腕の内側がパンパンに張ってしまった。親指の付け根の攣《つ》ったような痛みは、いまもうっすら残っている。

たいしたものだ。昔とったキネヅカというか、パワーだけなら、三十代半ばを過ぎたいまのほうがあるのかもしれない。握力は50じゃなくて60近いんじゃないか、と感心半分あきれ半分で見ていたら、「得意技、あったの？」と訊《き》かれた。

「……ない」

「ちょっとぉ、投げやりにならないでよ。ゲンちゃんほんとに困ってるのよ」

「だって、ないものはないんだから、しょうがないだろ」

「開き直らない」

「得意技なんてなくたって生きていけるんだよ、人間」

「逆ギレしない」

「そんなこと言われてもなあ……」

さすがにうんざりして作文に目を戻した、そのとき——。

「ね、これ、どう?」

ニギニギを握る手を止めて、千春が言った。

「なにかいいのあったか?」と思わず声がはずんでしまう自分が、ちょっと情けない。

「うん……これ、いいかも……そう、確かに得意技だし……」

千春は虚空を見つめ、つぶやいた自分の言葉に自分で何度もうなずいた。

遠くのほうを見つめているような横顔だった。それも、うんと、うんと、遠くを。

「高校の頃の得意技でいいじゃない」

千春は虚空を見つめたまま言った。

私は「はあ?」と間の抜けた声で聞き返した。

私たちは高校時代の同級生だった。言葉にすると恥ずかしいが、お互いに、初恋を実らせて結婚した。だから当然、千春は高校時代の私のこともよーく知っている。あの頃の私が、勉強がそこそこできる以外にはたいして目立つところのない少年だったことも、よーく知っているはずなのだ。

「得意技なんてなかっただろ」

「いーえ、ありました」

きっぱりと言われた。

だが、当の本人にはなにも思い当たるフシがない。

「わからない？　ちょっと思いだしてよ」

「思いだしてるけど……そんなの、あったかなあ……」

途方に暮れた私を、千春はあの頃の呼び方で呼んだ。

「森本《もりもと》クン、がんばれっ」

私もしかたなく、いまは旧姓になった千春の苗字《みょうじ》を呼び返す。

「水谷《みずたに》サン、わかりませんっ」

ぷっと噴き出した千春は、このノリが気に入ったのか、さらにつづけた。

「西高、ファイト、オーッ、ファイト、オーッ、ファイト、オーッ」

私もつづけざるをえない。

「がんばれがんばれリクジョッ、がんばれがんばれリクジョッ」

私たちは陸上部の仲間だった。

ウォーミングアップのランニングのときには、いつもそんな掛け声とともに走っていた。

ただし、私が練習に参加するのは、そこまでだった。

ランニングが終わると、部員は競技別に三つに分かれる。「走る」トラック組と、

「跳ぶ」「投げる」フィールド組と、そして「手伝う」マネージャー組——私たちは同じ陸上部員ではあったが、「組」は違っていた。

水谷千春サンは、右腕をぐるぐる回しながら、グラウンドの隅に向かう。

森本和志《かずし》クンは、首からいくつも提げたストップウォッチの動きをチェックし、百メートル測れる巻き尺を足元に置いて、バインダーに挟んだ練習計画表に、まず、今日の日付を書き入れる。

千春は女子陸上部でただ一人の砲丸投げの選手で、私は陸上部で一人きりのマネージャー——高校時代の私たちはそういう関係だったのだ。

だから、千春が見つけた私の得意技というのは、おそらく陸上部がらみで、マネージャーとしての……。

察しの悪い私を見かぎって、千春は答えを教えてくれた。

「ライン引き」

「は？」

「森本クンの引いたライン、最高だった。石灰の白いのが、こう、サーッと延びてるわけ、で、カーブのところもきれいなアールになってるわけ。わたし、あなたのライン引き、ほんとうにうまかったと思う。これはもう才能だよ、絶対に」

ゲンの同級生のお父さんには本職のグラウンドキーパーはいなかったはずだから、だいじょうぶ、押しも押されもせぬ堂々たる得意技だ、という。

まあ、ふつう、東京のニュータウンで、そうざらにいる職業ではないだろう。

「それに、たとえ本職さんがいても、勝つんじゃない?」

「いや、それはやっぱりプロはプロだから、違うだろう……」

って、話に乗ってどうする、俺。

落ち着け落ち着け、と自分に言い聞かせ、まだほとんど真っ白な原稿用紙をぼんやりと見つめて、言った。

「みんなに笑われちゃうぞ、ゲンが」

「そうかなあ」

「あたりまえだろ、なんだよ、お父さんの得意技は陸上競技のライン引きです、なんて」

これならグレープフルーツをしぼるほうが、日常生活に役立つぶん、まだましだ。

だが、千春は「そうかなあ……わたしはいいと思うけどなあ」と残念そうに言って、

「トラックの子も、みんな言ってたんだよ。森本クンのラインって走りやすいね、って」

「ラインなんて誰が引いても同じだって。長さが違うわけじゃないんだし」

「それはそうだけど、でも、違うの。森本クンのラインは最高だったの」

千春はきっぱりと、しみじみと、言った。

2

「パパ、たいへん！」

ゲンの金切り声で起こされた。

会社が夏休みに入った八月十日の朝――ゆうべのうちに「明日の朝は寝るからな、もう、とことん寝るからな、火事以外では起こすなよ」と念を押していたのに、時計を見ると、まだ七時過ぎだった。

「……どうしたんだよ」

「泣いてるの」

「誰が？」

「ママに決まってんじゃん、起きてよ、ほら」

寝起きのぼうっとした頭では、「ママ」と「泣いてる」がすぐにはつながらなかった。

ゲンがラジオ体操から帰ってきたら、千春が泣いていたのだという。

「なんで?」

「わかんないから、パパ起こしたんじゃん」

まだピンと来ないまま、ベッドから降りた。

寝室を出てリビングダイニングに入ると、確かに——千春は泣いていた。それも嗚《お》咽《えつ》混じりの、号泣に近い泣き方だった。

「おい、どうした?」

千春は朝刊を食卓に広げて泣いていた。なにか答えようとしたが言葉にはならず、もどかしそうに、これ、これ、と新聞の記事を指差した。

「……なんなんだ?」

「死んじゃったのよお、死んじゃったのよお」

「誰が」

「モリさん……モリさん……モリさん、死んじゃったのよお……」

知り合いには、そんな名前のひとはいない。

「モリさん」の名前を口にしたせいか、千春はさらに激しく泣きだした。テーブルに突っ伏しかけたのを私はあわてて制して、朝刊を手元に引き寄せた。

〈女子砲丸投げアテネ五輪代表　森千夏《もりちなつ》さん死去〉

この記事だ。

この「モリさん」だ。

ああ、そうか――と、私もようやく頭がしゃんとした。

森千夏さんは、日本の女子砲丸投げのエースだった。日本記録の保持者でもあるし、なにより、二〇〇四年のアテネ五輪に、女子の砲丸投げ選手としては四十年ぶりの出場を果たしたひとだった。

ということは、まだ若い。記事を読んでみると、二十六歳だった。虫垂ガン――アテネの頃から体調不良を訴え、ずっと闘病生活をつづけていたのだという。

「森さん……かわいそうでしょ？　かわいそうでしょ？　まだ二十六よ？　人生、これからなのよ？　なによそれ、なんでこんなことになっちゃうわけよ……」

突っ伏したまま、ひっく、ひっく、としゃくりあげる。

これはしばらく一人にしておいたほうがよさそうだ、と判断した。長い付き合いだ。それになにより、私は根っからのマネージャー気質なのだ。

部屋の入り口に立っていたゲンに、廊下で話そう、と目配せした。

「ねえねえ、どうだったの？　理由わかった？」

「うん……ママの憧《あこが》れっていうか、ずっと応援してたひとが死んじゃったんだよ」

「えーっ、誰、誰、ジャニーズの誰が死んじゃったの？」

「いや、そうじゃなくて……」

「氷川《ひかわ》きよし？」

「じゃないんだ、違うんだ、そういうんじゃなくて……あのな、ゲン、部屋で宿題してろ、なっ、あとで呼んでやるから」

不満げなゲンをなんとか自分の部屋に戻して、私は寝室でノートパソコンを広げ、森千夏さんの情報をネット検索した。

アテネ五輪の前から、千春は「すごい新人があらわれた！」と興奮気味に言っていたのだ。千春と千夏という名前のつながりもあって、千春は勝手に「わたしの妹みたいなものだから」なんてことも言っていた。

たしかに、森千夏さんの記録はすごかった。私だってマネージャーとはいえ元・陸上部の端くれだ。彼女が二〇〇四年にマークした日本記録の十八・二二メートルがいかに驚異的な数字であるかは、よくわかる。なにしろ、彼女自身がつくった二〇〇〇年時点での日本記録は十六・四三メートルだったのだから、わずか四年で二メートル近くも記録を伸ばしたことになる。

もっとも、その十八メートル超えを達成してようやくオリンピックの参加標準記録を突破し、一九六四年の東京五輪以来の代表選手となったのだから、「世界」の壁はとんでもなく高く、分厚いのだ。

それでも――森千夏さんなら、「世界」と互角にやっていけるかもしれない。

素人同然の私が思い、県大会六位入賞が最高の成績だった千春が信じていたぐらいだから、関係者の期待は想像もつかないほどだっただろう。いや、それは、誰よりも強く千夏さん本人が思っていたはずだ。

若かったのだ、まだ、じゅうぶんに。

一九八〇年生まれだから、アテネ五輪のときに二十四歳――二〇〇八年の北京五輪はもちろん、二〇一二年のロンドン五輪だって狙える。砲丸投げなどの投擲《とうてき》競技は力任せの若さよりも、ここ一番で集中力を高められる経験がモノをいうので、むしろピークを北京やロンドンに合わせて、アテネでは大舞台に慣れておけばいい、と千春も言っていた。

だが、アテネのときには、もう千夏さんの体はガンに蝕《むしば》まれはじめていた。

予想外の不調であえなく予選落ちした彼女を、マスコミは、いつものように責め立てたのだったろうか。いや、砲丸投げのようなマイナーな競技は、はなから相手にされていなかっただろうか。

千春はがっかりしていた。「決勝に残れないんだったら、経験にもならないじゃない」とコーチのような口ぶりで頬をふくらませ、「やっぱり日本人って本番に弱いのかなあ」と嘆いてもいた。

知らなかったのだ、まさか彼女がガンに冒されていたとは。アテネが最初で最後のオリンピックになるとは、夢にも思っていなかったのだ。もちろん、千夏さん自身だって。

悔しかっただろうなあ、無念だっただろうなあ……と思うと、まぶたの裏が熱くなった。

最近――三十代の半ばを過ぎてから、ひとの死に敏感になってきた。

上の世代や同世代の死は、まだ身につまされるという感じではない。田舎の両親は元気に老後を過ごしているし、三十代半ばで亡くなるのは、なんというか、まだ実感としては不幸な例外という意識にとどまっている。

逆に、もう自分が通り過ぎてきた十代や二十代で死を迎えてしまったひとたちのことが気になってしかたない。

これから、だったのに。やりたいことがたくさんあっただろうに。そんなことを思うと、赤の他人の死に、自分でもびっくりするほど激しく泣いてしまうときもある。私自身の「これから」が、少しずつ磨《す》り減っているせいなのだろうか。次から次に出てくる「やらなければいけない」ことに追われているうちに、「やりたいこと」がどこかに紛れてしまったせいなのだろうか。

いや、そんなキザな口上や能書きは、あとから付け足したものだ。

「これから」や「やりたいこと」をたっぷり遺《のこ》したまま亡くなってしまったひとに対して私が思う本音は、ただひとつ——。

だらだら生きてて申し訳ないなあ、という後ろめたさのようなものだ。

やっぱり、これもキザなきれいごとにすぎないのかもしれない。

ところが。

千春は、キザなきれいごとに照れなかった。

タイミングを見計らってリビングダイニングをそっと覗《のぞ》いてみると、もう泣いてはいなかった。

右手を折り曲げて耳の後ろにつけ、左手をピンと斜め前方に伸ばした砲丸投げの投擲ポーズをとって、ふんっ、ふんっ、と右手の砲丸を押し出すジェスチャーを繰り返していた。

私の気配に気づいて、投擲ポーズのまま振り向いた。

「……なにしてるんだ？」

「見ればわかるでしょ」

涙の跡が残る顔で堂々と答え、ゆっくりとしたしぐさで幻の砲丸を虚空に放りながら、言った。

「わたし、また砲丸投げやってみようかと思って」

「はあ？」

「森さん、悔しかったと思うんだよね。もっと砲丸投げやりたかったと思うんだよね」

「そりゃあ、まあ、そうだろうな……」

でも、それ、おまえとなんの関係があるんだ——と私が言う前に、千春は一方的に宣言した。

「朝ごはん食べたら、砲丸買いに行くから」

幻の砲丸を、また放る。

今度は、足のステップも加えて。

どす、どす、どす……ふんっ……。

安普請のマンションの床が、ぎしぎしと軋《きし》んだ。

3

その日のうちに、千春は都心のスポーツショップに出かけて、砲丸を買ってきた。重さ四キロ、直径百三ミリの、日本陸上競技連盟検定品――要するに、公式の大会で使用される砲丸だ。一万円近かった。検定を受けていない練習用なら半額以下なのだが、こういうのも一種のオトナ買いというやつなのだろう。

ゲンは生まれて初めて見た砲丸に興奮して、「ぼくにも持たせて、持たせて」と、テーブルに置いた砲丸を片手でつかもうとした。

「だめっ、あぶないっ」

千春は強い口調で止めた。

「……なんで？」

「あのね、砲丸って重いの。で、持ちにくいの。子どもが片手でひょいひょい持てるようなものじゃないの。足に落としたら骨が折れちゃうかもしれないし、肩や肘《ひじ》だって痛めちゃうんだからね。いい？　わかった？」

めったに見せないママのおっかない顔に、ゲンも身を縮めて「はい……」と言った。

「砲丸を持つときは、こうよ、こう。体の前で両手で持って、右手の手のひらにちゃんと載せて、落っこちないように左手で蓋《ふた》をして……」

言葉どおりにお手本を見せた千春は、そのまま、すっと、右手の砲丸を顔の横にあてた。顎《あご》の付け根と鎖骨で挟むような恰好《かっこう》だ。

「そうそう……うん、この重さ……この、ひんやりした感じ……」

懐かしさを嚙《か》みしめるように、目を閉じてつぶやく。

無理もない。砲丸を持つのは高校の陸上部を引退して以来のはずだ。野球やテニスやサッカーとは違って、砲丸投げという競技は、学校の陸上部をやめたあとも個人の趣味でみんながつづけるようなものではない。そういうひとがたくさんいて、休日の公園や河原で砲丸をどすどす投げていたら……それはちょっとアブナい光景だよなあ、と苦笑した。

千春は目を閉じたまま、ゲンに言った。

「中学や高校の頃はねえ、ママ、ずーっと耳の下に土がついてたんだよ」

「えーっ、ばっちいじゃん」

「しょうがないでしょ、砲丸を投げたら土がつくんだし、その砲丸をこうやってまたかまえたら、顔にも土がつくのはあたりまえじゃない。同じ場所にいつも土がついてるっていうのは、フォームが安定してるって証拠で、いいことなんだからねっ」

砲丸じたいを生まれて初めて見た息子にムキにならなくても、とは思ったが、砲丸を持った瞬間、千春の骨太な体がひときわゴツくなったように見えた。迫力というか、オーラというか……殺気のようなものまで、感じた。

「砲丸を投げるのは部活の練習のときだけだったけど、ふつうのときでも、ヒマさえあればこうやってね、砲丸を持ったつもりで……」

「イメージトレーニングってやつ？」

「そうそう。でね、教室とか廊下とかだと、そんなに本格的なフォームは練習できないんだけど、突き出しの練習は、どこでも簡単にできるわけ」

「突き出しって？」

「砲丸を投げるときのこと。『投げる』っていう感じじゃないのよ、腕で押し出すとか、突き出すっていう……ほら、お相撲の突っ張りあるでしょ、あんな感じ」

「あ、わかるわかる」

「で、フッーに突き出しても遠くには飛ばないから、体をひねるの。ちょっとやってみるから、見っててごらん」

拍手はしなくていいんだ、ゲン。

「コツはねえ、まず、『気をつけ』して……右足の親指と、右の膝《ひざ》がまっすぐになるように揃えて……で、その線におへそも揃えるわけ。だから、右側にクイッと体をひねる感じだよね……」

真似しなくていいんだって、ゲン。

ソファーに座った私は、一人でお尻《しり》をもぞもぞさせていた。

さっきから——千春が砲丸を手にしてから、なんだか落ち着かない。妙にそわそわして、いらいらする。

「ほんとは足も動かさなきゃいけないし、グライドっていって、体をグッと沈めてから一気に伸び上がらないと遠くに飛んでいかないんだけど、とりあえず上体の動きだけ、やってみるね」

目をつぶったままなのだ。頰は赤く染まり、声の調子もふだんより高く、うわずっている。

懐かしさにひたっている。

いや、ひたりすぎて、溺《おぼ》れているのかもしれない。

「四十五度の高さに腕を突き出すの。で、腕が伸びきったら、手の甲を見るの。そうすれば、顔の角度もちょうどよくなるから。ママはいつもね、手の甲にサインペンで大きく『根性！』って書いてて、その字から目を離さないようにして……」

千春は突き出しのモーションに入った。

体は、こっち——私の正面を向いている。

一瞬、悪い予感がした。

右手が四十五度の高さに突き出される。

「投げるな！」

叫んだときには遅かった。

弧を描いた砲丸は、天井をぎりぎりかすめ、私に向かってまっすぐに——。

つい両手で受け止めようとして、バカ突き指するぞ、と思い直して、必死に体をかわし、だめだ後ろ窓ガラスだ、とさらに思い直して体を戻そうとしたら、そのままソファーから転げ落ちてしまった。

ぼすん、と砲丸がソファーの背にあたる。

あと数センチ上を飛んでいたら、窓ガラスを直撃していた。

千春はいまになってようやく目を丸く見開き、「やだ、ごめん！」と言った。

千春は夕食のあとも砲丸を箱にしまわず、膝に載せて撫《な》でたり、タオルで磨いたり、頬にくっつけて「冷たーい」と笑ったり……「だいじょうぶか？」と声をかけたくなるほどのはしゃぎようだった。

だが、もちろん――その根っこには、森千夏さんの悲しい死がある。

ゲンが「おやすみなさーい」と自分の部屋にひきあげてから、千春は言った。

「森さん、ガンを公表してたの。それで、アスリート仲間が治療費を集めるために募金活動もしてたんだって」

「うん……新聞に出てたな」

「わたし、それ知らなかったの。たぶん新聞にも載ってたと思うんだけど、読んだ記憶がないのよ。もし読んでたら見過ごすはずないし、絶対に募金してたよ。千円とか二千円ぐらいしかできなかったと思うけど、でも、募金した。読んでもらえないと思うけど、手紙も書いたかもしれない」

「……わかるよ」

「新聞を読んでなかったんだよね、たまたまその日」

それが悔しい、と千春は言う。

いまは私の休みに合わせて夏休みをとっているので、朝はのんびりすごせるが、ふだんはそういうわけにはいかない。人材会社に登録された派遣社員として、ほとんど毎日仕事に出かけている。

私を会社に送り出し、ゲンを起こして、ゲンが朝食を食べている間に、忘れものの多いゲンのランドセルの中をチェックしてやって、朝になってから「これ、昨日もらったんだけど」とゲンが差し出すプリントを読んで、サインをしたりお金を用意したり……ゲンが遅刻ぎりぎりの時間でようやく学校に出かけると、朝刊を広げるどころか朝食を食べる間もなく、今度は自分の出かける支度をしなければならない。帰宅してからも忙しく家事をこなしているうちに、夕刊も読みそこね、結局、朝夕刊まとめて古新聞のストッカー行きになってしまう日も少なくない。

「たぶん、そういう日の新聞に出てたんだと思うの、森さんの募金活動のことは」

それがとにかく悔しい、と沈んだ声で言う。

「募金ができなかったってことよりも、なんかね、こうやって毎日ばたばたしてて、新聞を読む時間もなくて、だいじなニュースも見逃しちゃって、じゃあそのぶん仕事にやりがいがあるかっていうと、やっぱりね、派遣だからね……なんか、わたしの人生ってなんなんだろう、って……」

じゃあ、とりあえず、せめて仕事を辞めてみるか――と軽々しくは言えないところが、千春の収入を前提にマンションのローンを組んだ弱みだった。

「いまはゲンちゃんにもまだ手がかかるから、逆にいいんだと思うの。でも、このまま四十になって、五十になって、ゲンちゃんも独立しちゃって……おばあちゃんになって、最後は一人暮らしになって……」

「ひとを勝手に先立たせるな、っての」

わざと怒った顔でツッコミを入れたが、千春はつまらなそうに「どっちが先でもべつにいいけどね」と言うだけだった。かなり深い落ち込み方だ。

「どっちにしてもね、わたしの人生って、なんなんだろう。目先のことではばたばた忙しいくせに、長ーい目で見たら、すごく惰性でだらだらしてるっていうか……森さんに恥ずかしいよね。短い人生で七回も日本記録を更新したんだよ、あのひと。全力疾走の完全燃焼だもん。ほんと、恥ずかしい……」

だから。

砲丸を買った。

「森さんの遺志を継ぐなんておこがましいし、べつに現役に戻るつもりもないんだけど……でも、砲丸があるのとないのとでは全然違うと思うのよ」

なんだかわかったようなわからないような、フクザツな展開だった。

だが、千春自身はきちんと腑《ふ》に落ちているのだろう、膝に載せた砲丸をいとおしそうに両手で撫でさすりながら、きっぱりと言った。

「ここにわたしの初心があるの。みんなからクラいクラいって言われて、練習すればするほどお尻とか太股《ふともも》とか腕とか太くなって、グラウンドの隅っこでだーれも応援に来てくれなくて……それでも、砲丸にかけたわたしの青春があるの」

私は黙ってうなずいた。うなずくしかなかった。自分の人生についての迷いと砲丸がどうつながるのかはともかく、高校時代の千春が砲丸投げに夢中になっていたことだけは確かだったから。


その夜、部屋にひきあげたゲンは、ベッドに入る前に『家族の得意わざ』の作文のつづきを書いた。

〈せんじつ、ママがほう丸を買ってきました。ほう丸は重くてあぶないので、両手で持たなくてはいけません。ママはさっそく、家の中でほう丸を投げてくれました。的は、パパでした。パパは「ひえええっ」と悲鳴をあげて、ソファーから床に落っこち

て泣いてしまいました。ママのほう丸は、得意わざだし、必殺わざです〉

どうして、こう、おもしろがってデタラメを書くのだろう。

「この程度は演出とか脚色のうちでしょ」と笑っていた千春も、二度目に読み返したときは、「やだ、これだと夫婦ゲンカだと思われちゃうかも……」と眉《まゆ》をひそめた。

どっちにしても、パパの得意技はまだ出てこない。書きかけだった〈パパのほうは、〉もきれいに消されてしまっていた。

4

夏休みは一週間とってあった。

なんとかその間にパパの得意技をゲンに教えてやらなければ——というより、私自身が見つけなければならない。

だが、前半の三日間はほとんど見せ場なく終わってしまった。勉強を教えてやろうとしても「いいよいいよ、塾の先生に訊《き》くから」と言われてしまうし、ゲームはすでにゲンのほうがずっとうまくなっているし、ゲンの好きな野球やサッカーに付き合ってやっても、とても得意技と呼べるほどのうまさはない。テレビのクイズ番組ではたいがいの問題に正答する自信はあるのだが、肝心のゲンがそういうところに価値を感じる少年ではないので、まったく無意味だった。

要するに、夏休み——仕事のない日の私には、息子が「すげーっ」と驚いて、尊敬してくれるようなところは、なにひとつないということなのか……。

千春も、私に協力はしてくれたのだ。

「ね、高校時代の森本クンって、お好み焼きひっくり返すのうまかったじゃない」

確かに、部活帰りにしょっちゅう寄っていたお好み焼き屋では、私のヘラさばきに勝る部員はいなかった。

「それをやってみれば？　得意技なんて大げさに考えるより、もっと身近なところで探したほうがいいんじゃない？」

さっそく、夕食はお好み焼きになった。片面が焼き上がったあたりで「ゲンちゃん、いい？　よく見てなさいよ。パパ、ほんとにうまいんだから」とゲンの期待を盛り上げてもくれた。

ところが、お好み焼き屋の鉄板と家庭用のホットプレートでは、サイズが違う。両手に持ったヘラでお好み焼きを持ち上げたところまではよかったが、ひっくり返す勢いをどこまでつけるか躊躇《ちゅうちょ》して、向こうに飛ばしちゃだめだぞ、プレートから落ちちゃうとサイテーだぞ、と遠慮がちに手首を返したら、お好み焼きが二つ折りになってしまい、火の通っていないゆるい生地がびちゃっと撥《は》ねて、ゲンのTシャツを汚してしまった。

「思っきしヘタじゃん、パパ」——まったくそのとおり。

家族で遊園地に出かけたときもだめだった。行きの車の中で、ゲンは「ジェットコースター、十回乗るからね！　パパも付き合ってよ！」と張り切っていたが、私は絶叫系のマシンに極端に弱い。あんのじょう一度乗っただけでぐったりしてしまい、「もう一回！」と行列に並ぶ千春とゲンをベンチで見送るだけだった。苦手なものをわざわざアピールしてどうする。

プールに出かけたときには、まだクロールと平泳ぎしかできないゲンに、背泳ぎとバタフライを見せてやった。だが、高校時代の森本クンに比べて体重が二十キロ近く増えてしまった私の体では、とても華麗な泳ぎというわけにはいかない。結局、ゲンに言わせれば、背泳ぎは「あおむけにおぼれてるひと」で、バタフライは「うつぶせにおぼれてるひと」なのだそうだ。

一方、千春は砲丸を買って以来、着実に得意技のポイントをアップさせている。

友だちと野球やサッカーばかりしているゲンにとっては、砲丸をただ遠くに投げるだけというシンプルさが逆に新鮮なのか、陽がかげるのを待ちかねたように、夕方になると千春と二人で河川敷の広場に出かけてしまう。

帰ってくると、興奮した顔で「すごいんだよ、ママってすごいんだよ」の連発だ。フィールドに背中を向けて低く身がまえ、足を素早くクロスさせながらグライドして前に向き直り、砲丸を投げる――オブライエン投法が、カッコよく見えてしかたないらしい。

千春も「あんなの砲丸投げの基本中の基本よ、ねえ」と私に言いながら、まんざらでもなさそうに頬はゆるんでいる。

「だって、ぼくもやってみたんだけど、全然遠くに行かないの。一メートルとか三十センチとか、そのへんでボテッ、なんだもん。ママなんかすごいんだよ、ねえ、十メートルぐらい飛んでるよねえ」

「そうねえ、まあ、それくらいは軽ーくいってるかな」

ふふふん、と得意げな含み笑いを浮かべて私を見て、ぺろっと舌を出す。

ひどい話だ。砲丸投げのことなどなにも知らず、目分量で距離を測るのもいいかげんなゲンを相手に、大嘘をついている。

高校時代の自己ベストでも九メートルそこそこだったのだ。県大会で六位に入賞したときも、もともとエントリーした選手の数が少ないのに加えて、有力選手がサークルの外に足を踏み出してしまったり砲丸を扇形の有効フィールド内に落とせなかったりと、次々に試技が無効になってしまい、タナボタで順位が上がっていっただけのことだ。

だが、記録のことはともかく、砲丸を買ってから、千春のご機嫌がよくなったことは確かだった。

「夏休みが終わっても、夜とか朝早く、広場で砲丸投げしようかなあ。体にもいいわよねえ、やっぱりスポーツなんだし」

言葉だけではない。ダンベルを買い、本格的なハンドグリップを買い、腰と手首を保護するサポーターも買ってきた。両足を床に踏ん張って左手を膝《ひざ》についた中腰の姿勢で、ダンベルを握った右手を「ふんっ、ふんっ」と屈伸させるのが、風呂《ふろ》に入る前の日課にもなった。

私はといえば、ソファーや食卓の椅子に座って、ケツがデカいよなあ、これ以上二の腕太くしてどうするんだよ、せめて鼻の穴をふくらませた「ふんっ」はやめろよ……と、心の中でケチをつけるくらいしか、やることがない。

どうも、その、私は少しひがんでいるようなのだ。

夏休みの後半は、家族そろって帰省することにしていた。私と千春の実家に一泊ずつする二泊三日の短い帰省だ。ふるさとが同じ夫婦というのは、手間も交通費も帰省一回分ですむのがありがたい。

帰省の前夜、ゲンが寝入ったあと、寝室で荷造りをしていたら、ゲンの部屋に下着の替えを取りに行っていた千春が「いいもの見つけちゃったぁ」と笑いながら戻ってきた。

『家族の得意わざ』の作文——また新たに書き足したまま、机の上に広げて置いてあったのだという。

〈ぼくはいま、ママにほう丸を習っています。ほう丸は想像以上に重くて、ぼくはなかなか遠くに投げれませんが、ママは十五メートルぐらい投げれます。投げ方もむずかしくて、ぼくはいつもけつまずいて転びそうになりますが、ママはかろやかに投げて、そん敬しています。ママは、大学の受験勉強のためにほう丸をやめましたが、もっと続けていたらオリンピックにも出れたそうです。金メダルをとったママを見れなくてぼくは残念でした〉

がっくりと肩を落として、私は顔を上げる。

「なにがオリンピックだよ」

「軽やかじゃないだろ、どすどす響いてるじゃないか。下の部屋のひとに文句言われるぞ」

「まあまあ」

「外の地面だと軽やかなのよ」

「……あとなあ、ゲンに教えなきゃだめだよ。『投げれる』じゃなくて『投げられる』、『出れた』じゃなくて『出られた』だろ」

「細かいことはいいじゃない。それより、ほら、尊敬だって、尊敬」

「……『尊』ぐらい漢字で書けっての」

「なに怒ってんのよ」

「べつに……」

「でもね、ちょっとまずいことがあるのよ」

作文の分量——だった。

先生からは、原稿用紙二枚以上書きなさいと言われているらしい。

いま、二枚目の半分まで来ている。

「ゲンちゃんの性格だと、三枚とか四枚は、書くネタがあっても書かないと思うの」

それは確かにそうだ。

「ってことは、あと何行？」

「九行あるな」

「あなたの出番、そこしかないわよ」

千春はそう言って、念を押すように「せっかく書いたのを消しちゃうような子でもないからね」と言った。

念押しなのか意地悪なのかわからない。

「俺は消されたぞ」

「だって、あれは文の途中だったんだから。いま書いてあるところは、ちゃーんとまとまってるじゃない。がんばってよく書いてるわよ」

なに言ってんだ、と原稿用紙を返しながら、私は頭の片隅で、もっとヒサンな事態を想像していた。

ノルマは原稿用紙二枚――なのだ。すでに二枚目に入っている。ということは、ゲンがここで〈終わり〉と書いてもいいわけだ。

課題は家族の得意技でも、決して「家族全員」とは書いていない。ママの砲丸投げの話だけでもういいや、どうせパパの得意技なんて見つからなかったんだし……とゲンが思って、もうや一めた、と明日〈終わり〉を書き込んだとしても、なんの不思議もない。

がけっぷちだ。

いよいよ追い詰められた。

「得意技かあ……」

途方に暮れてつぶやくと、千春はボストンバッグに荷物を詰めながら、「だから言ってるじゃない、ライン引きがある、って」と、いつかの話を蒸し返した。

「向こうで西高に寄る時間ぐらいはあるでしょ？　部活の練習してる子に頼んで、ラインカーを貸してもらって……やってみれば？」

「冗談やめろって」

「でも、ほんと、ライン引いてよ、砲丸投げの」

「あれ難しいんだぞ、角度が細かいから」

いったいどういう由来でその数字になったのか、砲丸投げの有効フィールドの扇形は、角度が三十四・九二度——最初に中央線を引いて、左右に十七・四六度ずつ取らなければならない。

「だいじょうぶ、森本クンならできるっ」

「……ライン引いてどうするんだよ」

「決まってるじゃない、投げるのよ」

「砲丸借りるのか？」

「まさか。陸上部には練習用の球しかないでしょ。せっかく検定品があるんだから」

「持って行くのか？」

「あなたのバッグに、もう入れてあるから」

千春はすまし顔で言って、「新幹線の中、退屈だから」と「ニギニギ」を自分のバッグに入れた。

5

母校のグラウンドに足を踏み入れるのは、いったい何年ぶりだろう。十年ではきかないはずだ。
懐かしい——という思いは、不思議と湧いてこない。まだ「懐かしさ」という形にまとまっていない高校時代の記憶の断片が、むしろ悲しいような、せつないような……。

千春も同じように感じているのだろうか、レンタカーの中では「パパとママが出会った場所なんだよ、運命の場所なんだよ」と陽気にゲンに話しかけていたのに、グラウンドに立つと急に黙り込んでしまった。

お盆休みということもあって、グラウンドで練習しているのは春のセンバツ——の前の秋季大会優勝、の前の初戦突破を目指す野球部だけだった。

バックネットにラインカーが立てかけてあった。それを借りるしかないのだろう。なんだかなあ、息子の前でラインを引くってのもなあ……と、納得のいかないまま歩きだしたら、千春に呼び止められた。

「あなたはゲンちゃん連れて、先に砲丸投げのところ行っててよ。ラインカーはわたしが借りてくるから」

「いいよ、俺が行くよ」

「でも、こういうのって、ほら、女の子が頼んだほうがうまくいくじゃない」

「誰が『女の子』だよ」

「気はココロでしょ」

千春は立ち止まった私を追い越すとき、ゲンに聞こえないよう、小声で言った。

「ゲンちゃんに話してやればいいじゃない、あなたがマネージャーになったときのこと」

「……え？」

「あなたのほんとうの得意技って、そこだと思うわよ」

千春はそれだけ言うと、急に足を速めて遠ざかっていった。歩きながら右腕をぐるぐる回すのは、高校時代の練習前と変わらない。

その後ろ姿を見送っていたら、悲しさやせつなさが、いっぺんに胸に迫ってきた。

それは、高校時代の私の胸の奥にあったものと同じだった。


グラウンドの隅に設けられた砲丸投げのサークルに向かって歩きながら、昔の話をした。話しかける相手はゲンだったが、私の話をじっと聞いているのは、むしろ私自身だった。


最初からマネージャー志望だったわけではない。入部したときには「トラック組」──中距離走のランナーだった。

走ることは好きだったし、中学時代にはそこそこの記録も出ていた。

だが、一年生の夏に膝を痛めた。秋の終わり頃まで、だましだまし練習をつづけていたが、不自然なフォームのせいで今度は腰を故障した。椎間板《ついかんばん》ヘルニアと診断された。無理をすると松葉杖《まつばづえ》なしでは歩けなくなるぞ、とも医者に言われた。

競技者生命は、そこで断たれた。

顧問の先生から、マネージャーをやらないかと誘われた。走ることはもう無理でも、みんなを陰で支えることだって陸上競技のうちだぞ、と説得された。

理屈にもなっていない理屈だったよな。いまも思うし、あの頃の私も同じように思った。

「もう、やめちゃうつもりだったんだ。自分が走れないんだったら意味ないしな」

ゲンも「だよね」とうなずいた。いつものように混ぜっ返してこないのは、これが大事な話なんだと子どもなりに察しているからだろう。

「ゲンならどうする？　サッカーや野球ができなくなっても、チームに残って、いろんなことやって、みんなをバックアップするか？」

「いろんなことって？」

「記録をとってやったり、練習のメニューを一緒に考えたり、あと、部室の掃除とか、タオルの洗濯とか」

「そんなこともやるの？」

「そりゃそうだよ。マネージャーの仕事なんて、基本的には雑用ばっかりなんだから」

「えーっ、じゃあ、ヤだなあ」

「やめちゃうか」

「うん。やめて、別のことする」

それも——「あり」だ、と思う。

マネージャーを選ぶほうが正しいんだとは決してゲンに言うつもりはないし、私自身思ってもいない。運動部はもう無理でも、吹奏楽部あたりに入り直す手はあったし、いっそ勉強に打ち込んでいれば、もっとレベルの高い大学に合格できたような気もする。

だが、私はマネージャーとして陸上部に残った。

「なんで?」

「どうしようか迷ってるときに、同じ陸上部の女の子と知り合ったんだよ」

正確には、もっと以前から知り合ってはいたのだ。ただ、彼女は「フィールド組」だったので、「トラック組」の私と練習メニューが重なることはほとんどなく、話をしたこともなかった。

だが、陸上部をやめるかどうか決めかねたまま、練習を見学していたら——グラウンドの隅で黙々と砲丸を投げている女子部員に気づいた。一人でフォームを確かめ、一人で砲丸を投げて、一人で拾いに行って、一人で巻き尺をあてて距離を測っていた。

「それがママだったんだ」

「友だちいなかったの？」

「じゃなくて、砲丸投げの選手が他にいなかったんだ。だから、練習はいつも一人だったんだよ」

「寂しーい……よくやってたね、ママも」

「好きだったんだ、砲丸投げが。重たい鉄の砲丸を遠くに投げるっていうのが、大好きだったんだよ」

「体、その頃からゴツかった？」

「うん、けっこう」

だから——なんというか、異性としてはノーマークの存在だった。そのおかげで、ヘンなプレッシャーを感じずに、「練習、手伝ってやろうか？」と声をかけることができた。

「なにを手伝ったの？」

ゲンの問いに答える前に、思いだし笑いが浮かんだ。そうかそうか、そういうことだったのか、と千春がライン引きにこだわった理由がやっとわかった。

「パパ、最初は投げた砲丸を拾うとか、距離を測るとか、そういう手伝いをするつもりだったんだけど、ママはいきなり言ったんだよ」

すみません、じゃあ、ライン引いてもらえますか――？

言われて、気づいた。

千春が自分で引いたラインは、扇形の輪郭も、中央線も、ミミズがのたくったように曲がっていた。

「ママって力持ちだけど、けっこう不器用だろ。あれ、昔からそうだったんだよ」

あの日私が引いたラインは、どう考えても、きれいな直線だったとは思えない。それでも千春は「すごーい！　なんでこんなにまっすぐ引けるんですか？」と感激してくれた。私もうれしかった。誰かの手伝いをして、誰かの役に立って、誰かに喜んでもらえることのうれしさを初めて知った。

「それで決めたんだよ、マネージャーやってみよう、って」

選手としての未練がまったくなくなったわけではない。トラックを走る部員を見つめるのはやっぱり寂しかったし、自己ベストを更新して快哉《かいさい》を叫ぶ部員がやっぱりうらやましかった。自然と、いままで畑違いだった「フィールド組」の練習を手伝うことが増え、一人きりで練習をする千春と組むことも増えて……いまに至る。

「だから、パパが膝《ひざ》や腰を故障しなかったら、ママとは結婚してなかったかもしれないし、ゲンだって生まれてなかったかもしれないんだ。そう考えると、人生ってわからないよな、なにがどうなるのか」

砲丸投げのサークルに着いた。

グラウンドの中央を振り向くと、千春も、よいしょ、よいしょ、とラインカーを提げてこっちに向かっていた。

結局、いままでの話に得意技が含まれていたのかどうか、含まれていたとしてもゲンに伝わったのかどうか、よくわからない。

ただ、話すべきことは話したよな、と思う。ゲンのためにではなく、私自身のために、ちゃんと話せた……よな？

東京に帰ってから、ゲンは作文の最後の九行を書いた。

こんな内容だった。

〈さて、パパのほうは、運がいいことが得意わざです。高校時代、足をケガして陸上部の選手からマネージャーになったのですが、そのおかげでママと仲良くなって、結婚できたからです。「もしもケガをしなかったら、ママと結婚できなくて不幸な人生だった」とパパは言っていました。ぼくも、パパとママの得意わざを受けついで、たくましくて運がいいひとになりたいです。終わり〉

作文を読んだ私はがっくりと落ち込んでしまったが、千春は「よく書けてるじゃない、人生の本質をつかんでるわよ」とご満悦だった。

季節は秋になり、冬になった。

千春はいまも砲丸投げをつづけている。家の中でもトレーニングを欠かさない。べつに大会に出るわけでもないのに、毎晩、風呂に入る前にダンベルを持って、「ふんっ、ふんっ」と右腕を屈伸させる。

おかげで夏の頃より一回り腕や腿《もも》が太くゴツくなってしまったが、新聞やテレビで難病や飢餓に苦しむ子どもたちのための支援活動を知ると、必ず——たとえ五百円や千円でも、募金をする。その申込書を書いているときの背中は、とても優しい。

週末の夕食後は、家族で河原の広場に出かける。千春の投げる砲丸を拾うのが、私とゲンの仕事だ。

広場にはサークルもラインもないが、千春には、くっきりと見えるのだという。夏休みのあの日、私が引いたラインのことだ。

母校のたたずまいは昔どおりでも、卒業して二十年近くたっていれば、すべてが同じわけではない。砲丸投げのフィールドにも、いちいちラインを引かなくてもいいように、テープが地面に埋め込まれていた。千春は「なにそれ、甘やかしてるなあ。わたしたち損しちゃってたんだなあ」と不満そうだったが、もしもあの頃にテープがあったら、わたしたちは結婚していないかもしれないのだから——やっぱり、ゲンが作文に書いたように、運のよさが私の得意技、なのだろうか……。

「せっかく借りてきたのに意味ないじゃない」と口をとがらせる千春を、まあまあ、となだめて、ラインカーを受け取った。

「まあ、ちょっと見てろよ」

「どうするの?」

「高校生活は三年間だけど、オトナの人生は、これからもずーっとつづくんだから」

ラインを引いていった。

最初はテープの上をなぞって、テープが終わってからも、まっすぐにラインカーを押しつづけた。足元を見てはいけない。まっすぐに前を見て、遠くを見て、同じ速さ、同じ歩幅、ラインカーのハンドルを持つ右手の力も変えずに……。

　扇形の右側のラインを引き、左側のラインを引くと、最後に中央線——まっすぐに、まっすぐに、野球部の外野手に「なにやってるんスか！　落書きやめてください！」と怒られるまで延ばした。

　振り向くと、われながらみごとな直線が三本、グラウンドに描き出されていた。

「よーし、投げていいぞお！」

　声をかけると、千春はオブライエン投法で砲丸を放った。距離はたいしたことはなかったが、まっすぐに放物線を描いた砲丸は、中央線の上に着地して、消石灰の白い粉が舞い上がった。

　砲丸を放ったあともフォロースルーで右手を虚空に突き出していた千春は、砲丸の着地を確かめると、その右手をグッと引き寄せて、「ふんっ」と足を踏ん張り、「わが家新記録ーっ！」と高らかに宣言したのだった。

電光セッカチ

1

あのひとは、待つことが嫌いだ。

むだな空白が大嫌いだ。

CDの曲間の二、三秒の沈黙、それすらも待ちきれず、曲が終わると即座にリモコンのFFボタンを押す。

放っておいて次の曲が始まるのを待つのとたいして違いはないようにわたしには思えるし、ときには「よけいなことしないほうが、かえって速いんじゃない?」と口を挟みたくもなることもあるけど、彼にとっては、コンマ何秒かの違いなんてじつはどうでもいいのかもしれない。

要は、なにもしないで待つことが嫌なのだ。どんなときでも「次の一手」を打っていたいひとなのだ、わたしのダンナは。

たとえば、こないだの日曜日のこと。

家族でドライブがてらショッピングセンターに出かけた。運転するのは、ダンナ。わたしはリアシートで、いつものように一人息子の健太郎《けんたろう》の相手をしていた。車が立体駐車場に入ると、らせんのスロープがお気に入りの健太郎はキャッキャとはしゃぎだした。

うるさいことはうるさいけど、まだ幼稚園の年長組だもの。年少さんの頃はチャイルドシートがぜんぜんダメだったのに、やっとこの春から泣かずに座ってくれるようになった。それだけでも、わたしは「うんうん、成長してるなあ」と嬉《うれ》しくてしかたない。おねしょ癖はなかなか直らないけど、ま、なんとかなるでしょ。

でも、シートベルトをはずして車を徐行させたダンナは、駐車スペースを探しながらルームミラーでわたしと健太郎の様子をちらちら見ながら、おい頼むぜ任せたぜ信じてるぜ、というふうな心配顔になる。

結婚して七年。そのあたりの呼吸はつかんでいるから、わたしは健太郎に声をかける。

「健ちゃん、そろそろ靴履こうか?」

「やだ」

ワガママな奴。

無理やり靴を履かせようとしたら、足をばたばたさせて抵抗する。乱暴で、強情で、そのくせ甘えん坊な奴。

車が停まった。ダンナはシフトレバーをPに入れ、サイドブレーキをかけ、エンジンを切り、キーを抜き取り、ジャケットの胸を軽く叩《たた》いて駐車券が胸ポケットに入っているのを確かめながらドアを開けて外に出る。所要時間、約五秒。わたしと健太郎を待つ間、リモコンキーを持った右手を伸ばして、いつでもロックOKの態勢をとる。頭の中ではショッピングセンターのフロアの見取り図を思い描いて、買い物の段取りをたてているだろう。そういうひとなのだ、とにかく。

わたしはらせんのスロープをもっと上っていたくてぐずりはじめた健太郎をなだめすかし、靴を履かせ、チャイルドシートのカバーをはずし、「動かないでね、すぐだからね」と声をかけながら自分のシートベルト解除、トートバッグに財布が入っているかどうか確認して、今日の健太郎の調子ならオモチャを余分に持っていったほうがいいね、シートの下に転がっていたデジモンの人形を拾い上げてバッグに入れ、窮屈な姿勢をとったせいで脇腹が攣《つ》って、あたたたたっ。

三分、かかってしまった。

「早くしろよなあ」

ダンナはうんざりした顔で言って、車のドアをロックした。ウェットティッシュをバッグに入れ忘れたことを思いだしたけど、いまさら言えない。

「先を見てくれよ、先を。なんで車が停まってから『よーい、どん』になるんだよ。駐車場に入ったら、もう降りる準備してほしいわけ、オレは。シートベルトぐらいはずしてろよ、なっ？　バッグの中身なんか外を走ってるときにチェックすませればいいじゃないか、だろ？　健太郎に靴履かせるのに時間がかかることも最初からわかってるんだから、もっと早め早めに……いつも言ってるだろ」

いつも言われてる、たしかに。

駐車場から売場への連絡通路を歩くときも、ダンナは脇目もふらずにずんずん進む。健太郎の手をひいてペースを合わせようとすると、こっちはほとんど小走りになってしまう。

悪気があって足早になっているわけじゃない。健太郎が「パパ、ちょっと速いよぉ」と訴えると、「ああ、ごめんごめん」と振り向いて苦笑いを浮かべ、足踏みをして歩調を合わせてくれる。でも、すぐに足の運びは速くなり、あっという間にわたしたちを置き去りにしてしまう。性分なのだ。性格なのだ。サガ——なんておおげさな言葉をつかったっていいかもしれない。

昔は、わたしも「そんなにあわてなくてもいいじゃない」とブーイングをぶつけていた。

するとダンナは意外そうに「べつにあわててなんかないけど」と返すのだ。「ふつうに歩いてるだけだよ」

その言葉に嘘はない。ダンナは無理やり気ぜわしくしているんじゃない。いつもどおり。子供の頃からずっと。これがふつう。だから……困るんだ。

「二、三分早かろうと遅かろうと、お店は逃げないんだから」なんてのも通じない。

「店は逃げないけど、時間は過ぎ去るんだよ」

真顔で言う。

ダンナの座右の銘は「光陰、矢の如し」なのかも。ちなみに、わたしは子供の頃から「親が死んでも食休み」ってのが妙に好きだったけどな。

ダンナのことを手短に説明するとき、わたしはよくこんな言い方をする。

「電光石火のセッカチなの」

略して、電光セッカチ。

ダンナもその呼び方がまんざらではなかったようで、ときどき自分でも口にする。

「オレって、デッカだからさあ」——略しすぎてわけがわからなくなっても、文字数を指折り数えて「八文字なんて長すぎるだろ」ときっぱり。ま、そういうところが電光セッカチなわけだ。

とにかくダンナは、待つことが嫌い。時間のかかることが嫌い。段取りが悪いのが嫌い。むだなことが嫌い。暇なことが嫌い。ぼーっとしているのが大嫌い。

そしてわたしは、そんなダンナのことが、最近嫌いになってきている。

2

結婚して七年もたっていながら、いまさらなにが性格の不一致だ——と、笑うひと、たくさんいるだろうな。でも、わたしの性格をよく知っているひとなら、「ノンちゃんらしい話だなあ」なんて妙にしみじみと納得しそうな気がする。

「ノンちゃん」の由来は、公式には「典子」のノリコから来ていることになってるけど、ほんとうは自他共に認めるのんきな性格だから「ノンちゃん」。のんびり屋の「ノンちゃん」でもOK。小学生の頃には意地悪な男子から、のろまの「ノロちゃん」と呼ばれてた時期もあったけど、それはちょっとヤだったな。オトナになってから思いだしてむかつくのも、ノンちゃんぽくて、いいかも。

とにかく、わたしは幼い頃から「ノンちゃん」で、それはオトナになってからもちっとも変わらず、要するに電光セッカチのダンナとはまるっきり正反対のタイプ。

「だから、まあ、『性格の不一致』なんて言っちゃえば、ほんとうは最初からわかってたのよね……」

満開の桜を見上げて、ぽつりと言った。

弱音を吐くつもりじゃなかったのに、はらはらと散り落ちる桜の花びらを見ていたら、なにか胸がじいんと熱くなって、缶ビールのほろ酔いのせいもあるのかもしれないけど、つい、ため息交じりに言葉が出てしまった。

「でも、意外とそういうものですよね、人間って。自分と正反対のものに惹かれるってあるじゃないですか」

加奈子《かなこ》ちゃんは笑いながら言った。

「まあね……」

「考えてみたら『性格の不一致』なんて失礼な言葉ですよね。べつに一致する必要なんかないじゃないですか」

それは、そう。

十歳も年下の加奈子ちゃんだけど、新婚ほやほやのせいか、言葉のひとつひとつに確かな自信が感じられる。スイミングスクールの初級クラスで二人並んでビート板にしがみついてるときとは、ぜんぜん違う。

「だって、ほら」加奈子ちゃんは照れくさそうに言った。「ウチがいい例ですよ、ぜーんぜん性格が違うんだもん」

わたしは、ちらりと横を見た。

加奈子ちゃんのダンナさんは、さっきから健太郎につきっきりで遊んでくれている。お行儀の悪い健太郎がお菓子を食べこぼすたびにすばやく拾い、レジャーシートの角がちょっとめくれただけでも、ていねいに広げ直す。なるほど、加奈子ちゃんが「チマチマしてるから、チマ男《お》なんですよ」と言うとおり、かなり細かそうなひとだ。今日のお花見も、まだ花がつぼみのうちから下見をして、ベストポジションを探しておいてくれたんだという。

一方、加奈子ちゃんは、ひとはいいんだけど、なにかとガサツなガサ子さん。今日だって、「ウチの近所に穴場があるから、日曜日にお花見しましょうよ」と誘ってくれたのはいいけど、待ち合わせの場所も時間も土曜日の夜まで未定のまま。さすがのわたしも心配になって今朝早く電話を入れると――ゆうべのうちに電話をしないところがノンちゃんの所以《ゆえん》なんだけど、「あれ？　わたし言ってませんでしたっけ？」。せっかくつくってくれたちらし寿司《ずし》だって、お箸《はし》を忘れ、取り分ける小皿を忘れ、ついでにお財布まで忘れたのに気づいてあせりまくったところに、健太郎とお菓子を買いに行ったチマ男さんがコンビニから戻ってきて、「どうせそうだろうと思ってたんだ」と割り箸や紙皿をコンビニの袋から取り出して、にっこり笑いながら一言「こういう失敗がないと、最近は逆に物足りなくなっちゃって」。

いいコンビだ。新婚さんならではの仲の良さを割り引いても、ほんと、いいコンビ。うらやましい——けど、ウチだって昔はそうだったんだ。電光セッカチとノンちゃんのテンポの違いが、かえって生活のアクセントになって楽しかった。

でも、月日がたつと、嚙《か》み合わなさが、笑ってすませられなくなる。

こんなこと幸せいっぱいの加奈子ちゃんに言えるわけがないけど、新婚の頃は気づかなくても、不満は胸の奥のどこかに静かに少しずつ降り積もっていて、花粉症と同じ、それがいつか許容量を超えてしまってアウトになるんだよ。悪いけどね。

公園でお昼ごはんを食べたあと、加奈子ちゃんのお宅で二次会になった。部屋の掃除はチマ男さんが担当しているだけあって、2LDKの部屋は、ほんとうにきれいだ

「でもね、最近、『ちょっと隙があったほうがいいのかなあ』なんて言うんですよ、彼」

加奈子ちゃんは嬉しそうに言う。

そうだよね、せっかく二人でいるんだもん、お互いにちょっとずつ染まり合っていくから、夫婦なんだ。

でも、ウチはぜんぜんダメ。今日だって、加奈子ちゃんは一家揃って誘ってくれたのに、「花見なんて、ぼーっと座ってるだけだろ、そんなのバカらしいよ。桜なんて電車の窓から見て『きれい、きれい』って言ってれば、それでいいんだよ」でおしまい。来週の日曜日は、健太郎と約束していた遊園地に行くことになってるけど、どうせいつものように園内をせかせかと歩き回って、行列のあるところはぜーんぶパスして、人気のない乗り物に乗り込むのと同時に「健太郎、次はなにに乗るか考えとけよ」と言うんだろう。帰りにファミレスに寄っても、注文して五分以内に料理が来ないと不機嫌になるし、回転寿司だと、お皿が来るのを待ちきれずに手を上流に伸ばして、隣のお客さんのヒンシュクを買っちゃう。いつも、いつも、いつも……ずっと、ずっと、ずっと……もう、うんざりだ……。

わたしは、健太郎がチマ男さんとプロレスごっこをしてるのをぼんやり見つめ、ワインをグイッと飲んで、加奈子ちゃんに言った。

「健太郎のまばたき、ヘンでしょ」

加奈子ちゃん、遠慮がちにうなずく。

右の瞼《まぶた》が、瞬《まばた》くたびにひくつく。先月からずっとだ。

「今日はリラックスしてるからいいけど、ひどいときはホッぺまでひきつるのよ」

チック症の恐れがある、とお医者さんは言った。心因性。原因は、たぶん、電光セッカチなダンナ——。

3

お花見の翌日、外回りから直帰でふだんより三十分も早く家に帰ってきたダンナは、ご飯がまだ炊きあがっていないのを知ると、とたんに不機嫌になった。

もちろん、夕食を、ただぼーっと待っていられるひとじゃない。手早く服を着替えると、ひらがなを勉強中の健太郎に買ってやった升目付きのノートをラックから出して、ペン立てから鉛筆を抜き取った。

「よし、じゃあ健太郎、ごはんまでお勉強しようか」

テレビのアニメを観ていた健太郎は、あまり気乗りのしない様子だったけど、ダンナは「ほら、早く座れよ、パッとやるぞ」と腕時計を手首からはずして、ストップウォッチ・モードにした。

「『あいうえお』から順番に書くんだぞ。制限時間三分。いいな」

健太郎がうなずく間もなく、「はい、はじめ」と時計のスイッチを押し込む――と同時に夕刊を広げ、文字盤と新聞の見出しを交互にチェックしていく。

わたしはそっとため息をついて、やっぱりついていけないなあ、と最近の日課のようになった別れの予感を胸の奥で嚙みしめる。

「おい、十秒だぞ、まだ『い』なんて書いてんのか？　早く書かなきゃ」

健太郎の右瞼が、ひくっ、と揺れる。

やめてほしいんだ、こういうの。いつも言ってるのに、ダンナはなんでもタイム・トライアルにしてしまう。オモチャの後かたづけも、パジャマの着替えも、嫌いなホウレンソウを食べるときも……ダンナがそれを見ているだけで、『天国と地獄』や『剣《つるぎ》の舞』、あとYMOの『ライディーン』とか、そんな気ぜわしい音楽がどこかから聞こえてくるようだ。

ダンナは言う――「子供って、そういうタイムリミット感覚っていうか、あせることが意外と好きなんだよ。興奮するんだ。俺だってガキの頃はそういうの楽しくてしょうがなかったもんな」

そりゃあ、あなたは電光石火のセッカチだもん。でも、だからといって健太郎も同じだと思わないでほしい。悪いけど、健太郎って、のんきなママ似。ゆっくり時間をかければなんでもうまくできるのに、せかされるとパニックになってしまうタイプだ。

「ほらあ、また違ってるぞ。『き』は横棒が二本、一本なのは『さ』だろう？　はい、次、どんどん書いて」

「……うん」

「一分経過ァ、一分経過ァ。少しスピードあげないと、『ん』まで終わらないぞ」

「……はい」

「『す』が裏返しっ、この前も言っただろ、いっぺん言われたら覚えろよ」

「……ごめんなさい」

「謝んなくていいから、ほら、次、『せ』だろ？　どんどん書けよ」

健太郎の右瞼が、ひくひくひくっ、と三連符のリズムを刻む。

わたしは炊飯器の液晶ディスプレイを見て、早く早く早く、と同じ三連符でやきもきする。こんなことになるとわかっていたら、〈おいそぎ炊飯〉にしておけばよかった。ダンナがしょっちゅう言う「二つあるんなら速いほうにしとけばいいんだよ」を、悔しいけど、そうかもなあ、と認めた。でも、〈おいそぎ〉で炊いたご飯は、どうもべちゃべちゃと水っぽくて美味《おい》しくないんだけど。

「はい、残り一分だぞ。ラストスパートがんばれ。いまどこまでいった？『て』？

健太郎、おまえ、もっとまじめにやらなきゃだめだぞ、このまえだって……」

「ちょっと待ってよ」——思わず口を挟んでしまった。こんなふうに話の腰を折られるのがダンナはいちばん嫌いなんだと、よーくわかっているけど、もう我慢の限界だ。

「健ちゃん、まじめにやってるのよ。ていねいに書いてるから時間かかるんじゃない」

「わかってるよ」

「だったら、そんなこと言わないでよ」

ダンナは、わかったわかったわかったわかった、と小刻みにうなずいて、また腕時計と夕刊に目をやった。

「残り三十秒」

「ねえ、あなた、健ちゃんだって……」

「わかったからもういいって、いちいち言わなくていいんだよ。おい、健太郎、あと二十五秒だぞ。せめて『な』の行までいけよ」

健太郎は肩を縮め、ノートに顔をくっつけるみたいに、必死で鉛筆を動かす。

でも――だめ。

健太郎の瞼のひくつきは左側でも始まって、焚《た》き火の煙にいぶされたみたいに、もうまともに目を開けていられないみたいだ。

「はい、おしまーい」

ダンナは顔を上げると、一息つく間もなくテレビのリモコンを手にとった。

健太郎は物足りなそうな様子で鉛筆を置いた。ノートの文字は「ち」で終わり。いつもだ。五十音の後半を書けた例《ため》しがない。

「ねえ、最後までやらせてあげてよ」わたしはダンナに言った。「時間なんてどうでもいいじゃない、どうせなら最後までやり通したいわよ、健ちゃんだって」

「だったら、もっと速く書けばいいんだ。短い時間に集中してビシッとやらなきゃ。だらだらやってもしょうがないだろ」

わたしはさらに食い下がろうとしたけど、ダンナは「ああ、もういいって。わかったわかった」と面倒くさそうにテレビのチャンネルを変えた。

ようやく炊飯器から炊きあがりの電子音が聞こえたけど、ちょっともう、ごはんなんて食べていられる気分じゃない。

「おい、飯にしようぜ」

「……『わかったわかった』って、なにがわかってるわけ？」

「おまえの考えてることだよ、いいから早く飯にしてくれ」

「わたしの考えてること、わかるの？」

「なんだよ、うるさいなあ」

「わたし、いま、なに考えてると思う？」

「はあ？」

「教えてあげる」

言葉と同時に、わたしはリビングの奥の和室に入って、押入から旅行用のバッグを取り出した。

4

タクシーに乗って行き先を告げると、初老の運転手さんはルームミラーをちらりと見て、「忘れ物してるんじゃないの？　呼んでるよ」と言った。

振り向くと、ほんとだ、昔懐かしい『ねるとん』の「ちょっと待ったあっ！」みたいにダンナが手を振りながら駆けてくるのが見えた。近くにいるときは気づかないけど、意外と太ってるんだ、あのひと。

「行ってください」

「知り合いじゃないの？」

「パパだ！」――健太郎が無邪気に言う。

サイドブレーキを解除しかけていた運転手さんは、またブレーキを強く引き直した。

ギギッと軋《きし》んだ音がする。

「急いでるんで、行ってください」

「あ、パパ、転んだ！」

「早く出してください、時間がないんです」

「あ、パパ、立ったよ！」

「早く！」

運転手さんは、やれやれ、といったふうに息をついて、あらためてサイドブレーキを解除した。

走りだした車が車線に合流するのを待って、後ろをもう一度振り向いた。ダンナは呆然《ぼうぜん》とした顔でたたずんでいた。あせっているというより、なにが起こったのかまだピンと来ていない様子だ。電光セッカチのダンナのそんな姿を見るのは、もしかしたら初めてのことかもしれない。

わたしは前に向き直って、健太郎の肩をぎゅっと抱き寄せた。

「ほんとに、そのへんグルッと回るだけでいいの?」と運転手さんが訊《き》く。

「ええ」だいじょうぶ、だよね。「三十分ほどお願いします」

「三十分走るんなら、新宿あたりまで行けちゃうよ? いいの?」

もちろん、と余裕の笑顔でうなずき、あいかわらずまばたきのたびにピクピクッとひくついてしまう健太郎のこめかみを、指でゆっくり円を描いてさすってあげた。

離婚なんてする気はない。ただ、ほんのちょっと、困らせてやりたいだけ。なんでもセッカチに先回りしてわかったつもりになっているダンナから、なんていうのかな、はみ出してみたくなっただけ。

だから、タクシーを降りたときには、ケロッとした顔で「ただいま!」と帰宅するつもりだった。ダンナは怒るだろうけど、こっちだって結婚七年目にして初めてのプチ家出だ、話がもつれたらもう一回出ていってもいい。こういうのって、最初はすごくハードルが高いけど、一度やってしまうと意外と気分が楽になるものだとわかった。

ところが。

家の中には誰もいない。

ダンナはまだ近所を捜しまわってるんだろうか。タクシーに乗ったのを見たのに？

こっちのフェイントを見抜いてる？　まさか、いくらなんでも……。

電話が鳴った。

受話器を取るなり「なにかあったの？」と母の声が耳に飛び込んできた。

ダンナの奴、横浜にあるわたしの実家に電話をかけたらしい。わたしと健太郎がそっちに向かっているはずだから、自分もこれから電車で追いかける——だって。

きょとんとする母にテキトーにいきさつを説明して電話を切ると、今度は玄関のチャイムが鳴った。

ドアを開けると、若い警官がこわばった顔で立っていた。

「先ほど１１０番通報があったのは、こちらでよろしいんですね？」

「ひゃくとーばん？」

「ええ。ご主人だと思うんですが、飛び降り自殺の通報は入ってないか、って。もし入ってないのなら、奥さんが息子さん連れて無理心中するかもしれないので、パトロールを強化してほしい、って言うんですよ。ちょっと様子がヘンだったんで、署のほうからお宅にうかがうよう指示を受けまして……」

恐るべし、電光セッカチ。

わたし、ダンナのことを甘く見すぎてたのかもしれない。

横浜からとんぼ返りしたダンナは、日付の変わった頃に疲れきった顔で帰宅した。

「……ごめんね」

おそるおそる声をかけると、「まあ、無事でよかったよ」と笑ってくれた。横浜への往復の電車の中では携帯電話をほとんどつなぎっぱなしにして、iモードでニュース速報をチェックしつづけていたらしい。

「家を飛び出したのはわたしが悪いんだけど、でも、いちばん悪いのはあなたなんだよ？　健ちゃんのまばたき、どうするの？」

「うん……」

さすがに、多少は懲りてくれたみたい。

「原因はストレスなんだから、ちょっとのんびりさせてあげないとダメだと思うの」

「だよな。このままだと、大きくなって目が悪くなってもコンタクトつけられないもんなあ。あと、証明写真撮るときにも困るか」

スピードを出しすぎた車がカーブを曲がりきれないみたいに、ダンナの電光セッカチの発想は、ときどきポーンとあさっての方向に飛んでいってしまう。

「問題は、いまのことなんだってば。なんとかしないと、ほんとにかわいそうじゃない」

口調を少し強めると、ダンナは腕組みをして考え込むポーズになり、でもそれも一瞬、すぐに腕組みを解《ほど》いて、「よし」とうなずいて言った。「明日、温泉に行こう」

「はあ?」

「のんびりするんなら温泉だろう、やっぱり」

「っていうか、あなた会社でしょ?」

「さっき電話したんだ、会社に」

オフィスに残っていた同僚に、明日とあさっては会社を休むことを伝えたんだという。

「ほら、おまえがあんなふうに家を飛び出しちゃったから、なにがどうなるかわからないだろ。念のために、と思ってな」

「……まさか、忌引きにしちゃったの？」

ダンナは「バカ」と笑い飛ばしたけど、すぐに真顔になって、言った。

「朝になっても帰ってこなかったら、そうしたかもな」

5

チェックインから三時間たらずで、ダンナは四回お風呂《ふろ》に入った。

「もうダメだよ、完全、茹《ゆ》でダコ状態」

確かに、頭のてっぺんから湯気をたてて肩で息を継ぐ姿は、お年寄りだとドクターストップものかも。

「なにもずっとお湯に浸《つ》かってなきゃいけないってわけじゃないんだから」

あきれて言うわたしに、ダンナはスポーツドリンクで水分補給しながら「二度も三度もシャンプーできるかよ」と唇《くち》をとがらせる。

「べつに体洗わなくても、湯舟の縁《へり》とかに座ってぼーっとしてればいいじゃない」

ま、それができないから電光セッカチなんだけど。

「おい、ちょっと、テレビのリモコンどこにあるんだ？」

「な、い、しょ」

「はあ?」

「今回の旅行はテレビなし、ゲームなし、新聞雑誌なし。最初に言ったでしょ? のーんびりするための温泉なんだから」

「そりゃそうだけど……」

「ほら、夕暮れの海って、すごくきれいだと思わない?」

「さっき見たよ」

「一度見ればそれでいいってものじゃないんだってば」

わたしは健太郎と顔を見合わせ、「ねーっ、パパっておっかしいよねえ」と笑い合った。ひさしぶりの泊まりがけのお出かけ、しかも窓の外はどーんと太平洋、広いお風呂に広い部屋、ダンナの予算にヘソクリを足して奮発した甲斐《かい》あって、健太郎もふだんの気ぜわしさから解放されたのか、心なしかまばたきのひくつきも回数が減ってきたようだ。

でも――ここからは、わたしのひそかな野望。今回の旅行のほんとうの目的は、電光セッカチなダンナへのささやかなお仕置きだったりするわけだ。

「なあ……」ダンナの声、しだいに泣きが入ってきた。「晩飯の時間、三十分早くしてもらおうか」

「みんなで散歩でもするか？」

「下駄履《げた》いてくれるんならいいけど」

「あんなのダメだよ、指の間が痛くて」

「早足で歩くからでしょ。下駄履きでお散歩するときはカラーン、コローンよ。あなたなんてカラカラカラカラッなんだもん。温泉情緒ってもの、少しは考えてよね」

「なにが情緒だよ、いいかげんにしろよ……」

いいぞいいぞ、完全にこっちのペースに持ち込んだ。

夕食だって温泉旅館といえば会席料理。一品ずつ、ゆーっくりもてなされる。別注料理で毛ガニも頼んだ。カニだよ、カニ。耳搔《みみか》きの親分みたいなフォークで、ひたすら気長にホジホジホジホジ……。あせると針みたいなトゲが指先に刺さって、意外と痛いんだ。

楽しみでしかたない。夕食の時間が待ち遠しい。現在時刻、五時ちょっと過ぎ。夕食は六時半から。時間って、こういうときにかぎってゆっくりとしか流れない。

さすがのダンナも腹をくったのだろう、健太郎が幼稚園で覚えてきたばかりのお遊戯に付き合って、バンザイのポーズで部屋をぐるぐる回りはじめた。

パパを子分扱いしてご機嫌な健太郎を見ているとこっちまで気分がよくなるけど、それだけで一時間以上も時間をつぶすのはキツい。

早く時間がたたないだろうか。いまから夕食の時間を三十分早くしてもらうのって、できるんだろうか。無理かな、やっぱり。待つしかないんだ。待つだけ。待つのみ。ああ、もう、イライラする……。

あれ？


夕食まで残り三十分というところに来て、ついに禁断症状が出た。

ダンナではなく、わたしの——。

「お風呂入ってくる！」

宣言口調で言って、健太郎を一方的にダンナに預けて、廊下に出たら小走りになって。

ダンナの気持ち、ちょっとだけわかったような気がした。なにか楽しみなものが先にあったら、いてもたってもいられない。待っていれば自然とそうなるのはわかっていても、お迎えに行きたい。目の前の真っ白な空き時間を熊手みたいなものでグイッと引き寄せて、なんでもいいから色をつけたい。

ダンナはもしかしたら日曜日のドライブや買い物に思いっきり入れ込んでいて、だからあんなにセッカチになるのかもしれない。ひらがなのタイム・トライアルだって、健太郎がどんな字を書くのか早く見たくて、だからあんなに厳しく……。

甘いかな、その見方。明日になれば、別のわたしが「そーゆーところが、のんきすぎるんだってば」とため息をつくかもしれない。

でも、岩風呂の、ちょっと熱めのお湯に浸かっていたら、肩や背中のこわばったところがじわじわとほぐれてきて、電光セッカチを許してあげてもいいかな、と思えるほどのんきさが極まった。

と同時に、空腹も極まった。

早く早く早く早く、ごはんだごはんだごはんだごはんだ……。

ま、いっか。

部屋に戻ると、ダンナと健太郎は向かい合って畳の上にあぐらをかいていた。背筋を伸ばし、目をつぶって、両手を組んでおへその下にあてている。

「ちょっと、なにやってんの？」

健太郎は目をつぶったまま、元気いっぱいに答えた。

「座禅ごっこーっ！　先に飽きたほうが負けなんだよ！」

ダンナがつづけて、しかつめらしい口調をつくって言った。

「なにもせずして、なにかを為《な》す、これすなわち禅の心なり」

全身から力が抜けて、その場にへたりこんだ。ダンナの奴、薄目を開けていたようで、「おっ、ママもやるのか？」と笑った。

「やるわよ」もう、ヤケだ。「付き合うわよ、なんでも」

親子三人そろって座禅に入った。

わたし、優勝候補だと思う——。

遅霜おりた朝

1

番組がリクエストコーナーに入ったので、カーラジオのボリュームを少し上げた。ルームミラー越しにリアシートをちらりと見ると、客はノートパソコンに携帯電話をつないでメールをチェックしていた。

ラジオは携帯電話に良くないんだっけ。修二《しゅうじ》はふと思い、そんなことないだろうと思い直し、携帯電話がラジオに悪いんだっけ、そうでもないよなノイズもべつにないし、携帯電話が悪い影響を与えるのは心臓のペースメーカーで、昔は蛍光灯の真下でラジオを点《つ》けるとFM放送が入らなくなったんだよな、まあどうせ田舎のFMはNHKのクラシック音楽しか聴けないからどうってことはなかったんだけど……とりとめなく考えながら、靖国《やすくに》通りの真ん中のレーンに車を入れた。

西新宿で拾って、虎ノ門《とらもん》まで。客は中年のサラリーマンだ。うつむいてパソコンを操作していると、頭のてっぺんの地肌が透けて見える。走りだしてすぐ、領収書を切るよう言われた。夜十時をまわったところだが、まだ会社に仕事を残しているのだろうか。少し酔っているようだから、義理のあるパーティーかなにかに顔を出してきたのかもしれない。

リクエストコーナー担当のＤＪは挨拶《あいさつ》代わりに、今日の昼間の暑さをうんざりした声で伝えた。確かに暑かった。最高気温三十二度。太平洋高気圧の勢力が弱すぎて、いつもの年なら日本列島の真ん中に居座っているはずの梅雨前線が、沖縄と九州の間にとどまったまま、なかなか北上できずにいるらしい。

一方、東北地方の太平洋沿岸では「やませ」という冷たい北東の風が吹き、この数日は四月頃の肌寒さだという。夕方の天気予報は冷害の恐れを伝えていたが、都会暮らしの無責任さで、修二はその肌寒さをうらやましく思う。

メールチェックを終えた客は携帯電話をバッグにしまい、ノートパソコンの蓋《ふた》を閉じて、眠たげなあくびをした。

「お疲れですね」——話し好きな運転手なら声をかけるところだ。

だが、修二にはそれがうまくできない。もともと無口で、人見知りするタチだ。都心の道にも、じつをいえばあまり慣れていない。

「今日も蒸しましたねえ」「巨人、負けちゃいましたねえ」「パソコンはどこの機種がいいんでしょう」「最近どうですか、iモード、つながりやすくなりました？」「中央線、また人身事故で夕方停まっちゃったんですってね」……会話のきっかけの言葉はいくつも用意しているのに、どれも喉《のど》の奥でひっかかったきり、声になって出てこない。たまさかうまくおしゃべりがつづいても、そういうときにかぎって、道を間違えてしまう。

タクシー運転手に転職して半年。二種免許を取り、研修を受けて、現場に出るようになったのは三カ月ほど前からだった。

助手席のダッシュボードに掲げてある乗務員証の顔写真は、ずいぶん貧相で、寂しげに見える。前の仕事を失ったショックから立ち直らないうちに撮影されたせいかもしれない。いや、それとも病み上がりだったせいか……。

去年の秋まで、修二は中学校の教師だった。英語を教え、二年生のクラスを担任し、給食を食べているときに血を吐いて、眠れない夜がつづいたすえに教壇に立っても声が出なくなり、胃潰瘍《かいよう》と十二指腸潰瘍および不安神経症の診断を受けて、年度の途中で退職したのだった。

ラジオは、DJと聴取者の電話のやりとりを流していた。電話をかけてきたのは三十代後半の主婦。小学生の子供たちが寝入り、残業続きで終電で帰宅する夫を待つ、いまの時間がいちばんのんびりとして、だからこそむなしさや寂しさがつのるのだという。

「学生時代が懐かしくてしょうがないんですよね」と彼女は繰り返した。

歌舞伎《かぶき》町のネオンサインの光を左から浴びながら、車は歩くよりも遅い速度で進む。明治通りを越えるまでは渋滞がつづくだろう。

「べつに、いま、不幸だっていうわけじゃないんですけど……なんかね、昔に帰りたいなあ、って……」

カーラジオのちゃちなスピーカーは、声をひらべったくしてしまうかわりに、不思議とため息をくっきりと伝える。

修二もつい漏れそうになるため息を、鼻から抜いて紛らせた。

電話をかけてきた主婦の言う「昔」は、修二にとっての「昔」と、かなりの部分重なっているだろう。修二は三十八歳。最近、「昔」の範囲がバブル景気の頃にまで広がってきた。

自分の中にある未来と過去のバランスが歳をくうごとに変わっていく。

平均寿命から計算すると、いまは未来と過去が半々のバランスを保っているはずなのに、実感としては未来はずいぶん痩《や》せ細ってしまった。未来として思い浮かぶのは、いまは小学四年生の一人息子の太郎が中学生になり、高校生、大学生になって、やがてオトナになっていくということくらいのもので、それは太郎の未来であって、修二の未来ではない。

俺の未来は――。

明治通りを渡り、アクセルを踏み込みながら、思う。

とりあえず、虎ノ門に向かうことだけだ。

昔に帰りたい三十代後半の主婦のリクエストナンバーは、RCサクセションの『スローバラード』だった。修二も、学生時代はRCサクセションが大好きだった。

助手席側のドアにもたれて窓の外をぼんやり見ていた客が、「運転手さん」と声をかけてきた。「悪いけど、ラジオの音、もうちょっと大きくしてくれる?」

言われたとおり、ボリュームのつまみを右に回した。少し嬉《うれ》しかった。

「お好きなんですか?」

珍しく、言葉がすんなりと出た。

「まあな……懐かしいよ」

「RC、いいですよね。清志郎《きよしろう》、最高ですよ」

客は気だるそうに、それでもまんざらではない顔で答える。このひとの「昔」も自分と似通ったものなのだろう、と修二は思う。冷房の風にあたりすぎて鈍く痛む腰が、ほんの少し軽くなった。

もちろん、過去を語り合い、先細りの未来を嘆き合う、タクシーの客と運転手はそういう関係ではないのだけれど。

「だよな」

2

虎ノ門から新橋、新橋から渋谷《しぶや》、渋谷から六本木、六本木から西麻布《にしあざぶ》、西麻布から練馬《ねりま》、池袋に戻って音羽《おとわ》、音羽から市ヶ谷《いちがや》、市ヶ谷からまた西麻布、西麻布から蒲田《かまた》、蒲田から湾岸、湾岸から津田沼、都内に戻って八重洲《やえす》から早稲田《わせだ》……。

日付が変わり、午前一時をまわって、休憩をとることにした。

タクシーの世界では、午後十一時から明け方四時頃まではひたすら走るのが常識だと、先輩に教わった。水揚げを増やすには確かにこの時間帯の休憩は命取りだが、修二のモットーは、とにかく安全第一。「甘いねえ」と笑われようが、「そういうところが、まだシロウトなんだよ」と嘲《あざけ》るように言われようが、運転中にあくびが三度つづいたら休んで外の空気を吸うことにしている。

だから、いまも――。

修二は早稲田通りから一本入ったところにある公園の脇に車を停めた。外に出て、晴れあがった夜空を眺めながら深呼吸と全身の屈伸運動を繰り返した。

ほとんどが短距離だったが、今夜の実車率はそこそこの出来だった。あとは二時前後の新宿でロングを狙えば、うまくすればひさびさに水揚げ六万円を超えられるかもしれない。

そのためにも、眠気だけは振り払っておきたい。

車のトランクを開けた。

古びたサッカーボールを、取り出した。

軽くドリブルしながら、公園の中に入っていった。うまいぐあいにボールをぶつけるコンクリート塀が設《しつら》えてある。理想をいえば音のたたないネットがいちばんで、タクシー運転手になって三カ月、ネット付きの公園もいくつか知ってはいるのだが、行き先は客任せのタクシーだ、「いちげん」で入った公園に塀があっただけでも、今夜はついてるぞ、と思う。

ドリブルでディフェンスをかわし、まずは塀に向かってスルーパス、ワンツーで受けてさらにディフェンスをかわす。トラップでボールを浮かせ、ヘディングでつなぐ。左サイドに開いて、センタリングと見せかけて中に切り込み、ニアポスト、スライディングの体勢に入るゴールキーパーの腋《わき》の下を抜くかたちで、シュート――。

最後の最後で、ボールがうまくヒットしなかった。スピンしながらあさっての方向へ転がっていくボールを小走りに追いかけて、ため息を、ひとつ。

小学生の頃から大学を卒業するまで、サッカーをつづけてきた。

といっても、日本リーグの選手になることを夢見ていたのは中学生までで、高校時代は全国選手権出場が目標になり、県大会二回戦でその夢が絶たれて大学に進学すると、あとはもう同好会で楽しむためのサッカーになった。夢がしぼんでいくのは、そんなの九九パーセントの人間がそうなんだよ、と理屈ではわかっていても、やはり寂しい。

タクシー運転手に転職する前――中学校の教師時代は、その寂しさを生徒たちには味わわせたくなかった。子供の頃の夢をそっくりかたちを変えずに持ちつづけろとは言わない。そこまで世間が甘くはないことも、もちろん知っている。だが、「夢なんて、どうせ……」とつぶやくような少年や少女にはなってほしくなかった。

　熱血教師だった。自分でも思う。口数は多くなかったが、そのぶん、ひたむきな姿を見せることで、生徒になにかを感じ取ってほしかった。クラス担任としての学級運営も、英語の授業も、放課後のサッカー部の指導も、「一所懸命」をモットーにいっさい手を抜かずにがんばってきたつもりだ。無口なぶん、言葉に頼らず、肩をポンと叩《たた》いたり、頭を撫《な》でるように小突いたり、というスキンシップも欠かさなかった。

　だから。

　去年のちょうどいまごろ――六月、授業中の態度が悪かった三年生の男子生徒を二人、授業が終わったあと教卓に呼びだして、ハッパをかけたのも、決して特別なことではなかった。教師として、オトナとして、凛《りん》とした威厳は保ちながら、それでも高圧的にはならないよう気をつけて接したつもりだった。

　だが、かんたんに説教をしたあと、席に戻ろうと踵《きびす》を返した二人に、「あと半年ちょっとで受験だぞ、がんばれよ」と背中を軽く叩いた――それを、二人は「暴力」だと解釈した。嫌な言い方だが、たしかにいちばんリアルな言葉をつかえば、キレた。

　振り向きざまに殴られた。教壇に倒れ込んだところを、腹を蹴《け》られた。

「うざいんだよ！　てめえ！」

まだ幼さを残す声で怒鳴られた。

最初のパンチで口の中を切って、血が顎《あご》を伝うと、それで二人はさらに興奮し、逆上し、声にならない叫びをあげながら修二を蹴りつづけ、殴りつづけ、前歯をへし折った。

教室にいた三十人以上の生徒は誰一人として止めなかった。男子の誰かが、廊下に出ていた隣のクラスの連中を「おい、すげえぞ、ちょっと来いよ、マジ、ボコり入れてんの！」と呼ぶ声が聞こえた。

殴る蹴るの暴行を受けた体の痛みより、その声のほうが、いまも記憶の底に貼りついて、どうしても剝《は》がれてくれない。

校長は事件を表沙汰《おもてざた》にはせず、校内で処理した。生徒たちの言いぶんだけを聞いた。修二をかばう生徒は、クラスの半分以下にとどまった。生徒に言わせれば、肩を叩く行為は「体罰」だった。頭を撫でるのは「セクハラ」だった。そして、生徒に繰り返していた「夢を持てよ」は、「うざい言葉」であり「むかつく言葉」にすぎなかったのだ。

自分の影を追いすがるディフェンスに見たててドリブルしていたら、公園の門のところに誰か立っていることに気づいた。

近所のひとが苦情を言いに来たのだろうか、とドリブルをやめて立ち止まると、人影は修二を呼ぶように手を振った。

「そこのタクシー、空車なの？」

男の——まだ少年の声。

「ちょっと乗っけてくんない？」

少年の陰に隠れるように、もう一人いた。

中学生ぐらいの少女だった。

3

少年は金色に染めた髪をライオンのたてがみのように立てていた。半袖《はんそで》のナイロンパーカの下はだぶだぶの長袖Tシャツと、腰穿《こしば》きして裾《すそ》を地面に垂らしたワークパンツ。耳にピアスが光る。

いでたちは、どこから見てもそこいらの不良だが、まがりなりにも十五年近く中学教師をやってきた修二にはわかる、かたちだけ不良の公式にあてはめた、ほんとうは気の弱い——だからこそワルになりたがる、おそらく高校一年生か二年生の少年だ。

隣にたたずむ少女は、服装や髪型はごくふつうのもので、修二と向き合ったときには会釈まででした。歳恰好《かっこう》は少年と変わらない。まじめそうな女子高生——いや、しかし、真夜中の一時過ぎに男と二人でいる少女なのだ、彼女も。

「車、乗っていいんだよね」

少年がいらだったように言う。「早くドア開けてくんない?」と、足元に唾《つば》を吐いた。

「どこまでですか?」と修二は訊《き》いた。

すると、少年はカッと目を剝《む》いて声を荒らげた。

「どこだっていいじゃんよ、とにかく乗っけろっつーの! 急いでんだから」

落ち着け。修二は自分に言い聞かせる。刺激するな。万が一ナイフが出てきてもかわせる距離を保て——タクシー運転手ではなく、中学教師時代の危機回避マニュアル。

「車だったら、早稲田通りにいくらでも走ってますよ」

「……関係ねーよ、ここに空車あるんだからよ、いいから乗っけりゃいいんだよ」

気色ばむ少年の横で、少女は黙ったまま、ぼんやりとした顔でたたずんでいる。

修二には、むしろ彼女のほうが怖い。殴られたり金を脅し取られたりという怖さではなく、なにを思っているかが見えない怖さが、ある。

見えなくてあたりまえじゃないか。自分で自分を叱る。こいつと俺とは初対面の、赤の他人なんだ。いつまでも先生気分でいるなよ、タクシー運転手の仕事は、ガキの胸の内を探ることじゃなくて、客に言われた場所に向かって車を走らせることなんだからな……。

「よお、マジ早くしろよ」

少年は舌打ちを頭につけて言った。

「どっち方面かだけでも教えてくれませんか」修二は言う。「まだ経験浅いんで、方面によっては道がよくわからないんですよ」

「……なんだよこいつ、バーカ」

「すみません」

慇懃《いんぎん》に頭を下げた。

怪しいと思ったら、車に乗せる前になるべく具体的に行き先を訊くことが、強盗や料金の踏み倒しを避けるコツ――それを教えてくれた先輩ドライバーは、「まあ、現実にはそんなことやろうって奴が、最初から怪しい恰好してるわけないんだけどな」とオチをつけるように笑っていたのだが。

「世《せ》田谷《たがや》方面だと、ちょっと一方通行多いんで、よくわからないんです」

「違うよ、そっちじゃないっての」

「あと、下町のほうも、あんまり自信がないんですが……」

「ぜんぜん逆だよ、タコ、てめえ」

「じゃあ、どっち方面なんでしょうか」

少年は言葉に詰まる。

急いでいると言っていた。この時間、早稲田通りに出れば空車はいくらでも走っている。標的を変えてくれ、と祈った。ガキと付き合うのは、もうごめんだ。

少年は爪を噛《か》んでいた。ふざけるなよというふうに修二をにらみつけていたが、言葉が出てくる気配はない。

もういいな、と車に戻ろうとした、そのときだった。

「遠いんだけど」──少女が、初めて口を開いた。

「……遠い、って？」

「めっちゃ遠い」

少女はそう言って、少年を目でうながした。

少年はふてくされたようにパーカのポケットを探りながら言った。

「金、持ってるし、中央道で一本だから」

「中央道？」

「そう。長野県のほう」

少年はポケットから財布を出し、中から紙幣を抜き取って「ほら」と修二に見せた。

一万円札が、二枚。

修二は黙って二人を交互に見つめた。冗談なのか開き直っているのか、それともただの世間知らずなのか、わからない。

「足りないと思うけど」少女が言う。「向こうに着いたら、なんとかするから」

「いや、でも、そういうのは……」

「足りないぶん、もしアレだったら、して、いいよ」

さらりと言った。

修二より、少年のほうが驚き、戸惑った。

バカおまえなに言ってんだよふざけてんじゃねーぞおまえ冗談やめろってそーゆーの言うなよバーカ……。地団駄を踏むような身振りで早口にまくしたてる少年を見ていると、つい苦笑いが浮かんだ。

「そういうのは、いいですよ」

少女というよりも少年に言ってやった。

「二万円だと八王子を過ぎて、高尾あたりがせいぜいですよ」とつづけ、「朝まで待ってJR使ったほうがいいと思いますよ。時間もそんなに変わらないし」と付け加えた。

だが、少年はさらに激しく地団駄を踏んだ。

「朝じゃ遅いって言ってんだろ！　時間ねーんだよ！　向こう着いたらサラ金で借りるから、とにかく早く乗せろよてめえ！」

高校生ではサラ金は使えないし、どうやら目的地に着いても金のあてはないようだ。

「別の車、探してください」

修二は小さく頭を下げ、後ろから殴りかかってくる事態を警戒しながら車に向かって歩きだした。

「ちょ、ちょっと待てよバーカ」

あとを追って駆けだしかけた少年は、少女に引き留められた。もういいから、いいから、と少女は首を横に振っていた。

「乗っけてくれよ！　マジ！　頼むよ！」

しだいに甲高くなっていった少年の声は、つづく一言で、裏返った。

「こいつのかあちゃん、さっき死んじゃったんだよ！」

4

信じたわけではなかったが、少年の勢いに負けた。付き合ってやるか――という気になったのは、母親が亡くなったという少女の面影が、誰と名付けることはできないけれど、かつての教え子に似ていたせいかもしれない。

車は早稲田通りから外苑《がいえん》東通りに入り、首都高速4号線の外苑ランプを目指す。

少年はリアシートの真ん中に座って身を乗り出し、「信号、黄色だったらシカトで行ってよ、マジ」と言う。

少女は運転席の後ろに座り、窓に頭をつけていた。なにを見ているのかはわからない。母親のことを考えているのだろうか。カーラジオを消したほうがいいのか、点けたままのほうが逆にいいのか、それもわからない。

目的地は、諏訪《すわ》インターチェンジから一般道で一時間ほどの高原地帯にある、観光地というわけではない小さな町だった。たぶん、そこが、彼女の故郷。

首都高速に乗った。車は順調に流れている。十分足らずで中央高速に入り、三十分もすれば八王子の料金所を過ぎて、そして、リアシートの二人の所持金は尽きる。

ラジオから椎名林檎《しいなりんご》の曲が流れる。ひずんだ音のギターと粘りつくボーカルが、追い越し車線を走りどおしの修二の運転を、少し荒くさせる。

リアシートの二人が小声で話す声のかけらが、ぽつりぽつりと修二の耳にも届く。

「でもさ、だいじょうぶだよ、ミーコ」少年が言う。「もう、誰も怒ってないよ」

ミーコと呼ばれた少女は「べつに、怒っててもいいけど」とそっけなく言う。「なに言われても関係ないもん」

「このまま……向こうにいる？」

「……わかんない」

椎名林檎の歌は、タクシーの運転手になってから初めて知った。遅い時間のラジオ番組でよくかかる。

椎名林檎が好きだった教え子が何人かいた。あまり勉強のできない女子生徒たちだったが、ときどき、おとなの嘘を見透かすようなまなざしで修二を見ることがあった。

彼女たちは、いま三年生だ。そろそろ志望校を決める頃だろう。「べつに、どこでもいいけど」と気のない声で言う姿が目に浮かぶ。もどかしさに貧乏揺すりが止まらない、三年生の担任の姿も。

「自分のほんとうにやりたいことをやれよ、それがいちばんたいせつなんだから」——ホームルームや個人面談で、口癖のように繰り返してきた。理解ある教師だと自分一人で悦に入っていた。教師を辞めたいま、それを少し悔やんでいる。

ほんとうにやりたいことは、一生かけて見つかるかどうか、なのかもしれない。井《い》上陽水《のうえようすい》だったっけ、古い歌に『人生が二度あれば』というのがあった。人生が二度あるのなら、二度目には、きっと誰もが幸せな人生を送れるんじゃないか、と思う。

「文句言ってくる奴がいたら、オレ、マジにぶん殴ってやるから」と少年が言った。

ミーコは短く、つまらなそうに笑うだけだった。

八王子を過ぎてしばらく走ったところで、メーターは二万円を超えた。

それに気づいた少年は「サラ金で借りるから、マジ」と勝手に先回りする。「だから、とにかく行ってよ」

修二は、やれやれ、とため息をついて、アクセルをさらに深く踏み込んだ。

現在時刻、午前二時半。どんなに急いでもあと三時間近くはかかるだろう。メーターは……いくらになるのか見当もつかない。

少年がうたた寝しはじめたのは、笹子《ささご》トンネルを過ぎて、車が甲府盆地に入った頃だった。寝苦しそうだった。歯ぎしりをして、低くうなって、ときどき寝言で「ぶっ殺すぞ」だの「なめんなよ」だのと毒づいては、目を覚ますと、肩で大きく息をつく。「ヒロくん、寝てていいよ」ミーコが幼い子供をなだめるように言う。「まだだいぶかかるから」

「なに言ってんだよ、寝てる場合じゃないだろ……」と少年はムッとして返したが、しばらくたつと、また寝入ってしまう。

修二が気を利かせてラジオを切ったら、ミーコが「いいよ、点けてて」と――車に乗り込んでから初めて、声をかけてきた。

言われたとおりラジオのスイッチを点けると、ヒロがまた低くうめいた。

「ほんとは、もう寝てる時間だから」ミーコが言う。「すっごい眠いはず」

ルームミラーの中でまなざしが触れ合うと、ミーコはクスッと笑う。

「ゆうべ夜勤だったから」

「……働いてるんですか？　カレシ」

「働かないと生きてけないじゃん」

修二は小さくうなずいて、ヒロの寝顔をルームミラー越しにちらりと見た。金髪にピアスという風貌《ふうぼう》は不良ぽくても、きっと根は純情な奴なのだろう。

「さっき」ミーコは言った。「運転手さん、タクシーの経験浅いって言ってたよね」

「ええ……」

「前、なにやってたの？」

少し迷ったが、正直に答えた。

「うそ、先生だったんだ」ミーコの顔に、年相応の幼さがにじんだ。「なんでやめちゃったの？」

「ええ、まあ、いろいろと……」

「問題起こしたりとか？」

苦笑いでかわすと、ミーコはまたクスッと笑って、「人生、いろいろあるもんね」と、どこか嬉《うれ》しそうに言った。

ためらいながら、けれど中学教師という前歴を話したことで肩の重荷がひとつ下りたような気がして、修二は言った。

「東京に、家出してきたんですか？」

「はあ？」

ごまかしているふうではなかった。「やだ、なに勘違いしてるんですかあ？」とミーコはあきれたように笑う。

「でも、お母さん、長野に……」

修二が言いかけるのをさえぎって、「逆だってば、立場、ぜんぜん逆」と言う。

東京の我が家から長野に家出してしまったのは――ミーコの母親のほうだった。

5

話の最初から最後まで、ミーコは「不倫」という言葉をつかわなかった。家族を捨てて家を出た母親を責める言葉も、なかった。

「すべてを捨ててもいいぐらい、そのひとのことを好きになっちゃったんだから、しょうがないかな、って」

去年の四月頃だった、という。

「気持ちはわかるんですよ。高原で陶芸やってるアーティストなんだもん、東京のオバチャンからしたら、もう、ロマンチック?」

軽く笑う。

「でも……まあ、一年ちょっとで死んじゃうんだから、もしかしたら自分の運命知ってたのかなあ、あのひとも」

最後に漏れたため息を、「好きなことして死んだんだから、本望か」と笑って消した。

車は甲府盆地から小淵沢《こぶちざわ》への長い上り坂にさしかかった。前方に車はない。百二十キロを超えるスピードで、沈む月を追いかけるように、走る。

「お母さん、いくつだったんですか？」と修二は訊《き》いた。

「今年四十かな」

「そうですか……」

二つ年上の、同世代と呼んでいい。きっと激しい恋だったのだろう。家族を捨て、いままで築きあげてきた幸せをなげうっても悔いがないほどの。

父親は、母親の死の知らせを聞いても黙ったままだった、という。一人娘のミーコが「すぐにお母さんのところに行く」と言って、カレシのヒロに連絡をとって真夜中に家を飛び出しても、リビングに座ってテレビを観たまま身動きしなかった。たぶん母親とそれほど歳が変わらないはずの父親の気持ちも、修二にはなんとなく、わかる。

標高が上がるにつれて気温は下がっていき、フロントガラスが白く曇りはじめた。夜勤明けのヒロは小さないびきをかいて、本格的に寝入ってしまったようだ。

ルームミラー越しに、ヒロとミーコが手をつないでいるのを見て、修二は頬をゆるめた。もう一生会うことはないはずの生徒たちの顔が、誰もみな笑顔で、浮かぶ。

ミーコはまた、問わず語りに話しはじめた。

去年の五月、母の日に渋谷を歩いていたら、どこかの店のサービスで、カーネーションを一輪貰《もら》った。帰り道、新宿始発の電車の網棚にそれを載せて、発車前に降りた。

「やっぱ、家に持って帰れないじゃん、そんなの」と笑って、「でも、持って帰ったほうがよかったかなあ」と首をかしげる。

「恨んでますか？ お母さんのこと」

修二の問いに、ミーコはまた首をかしげながら「ちょっとは、ね」と言う。「でも、なんかうらやましい気もしちゃったりして。情熱あるじゃないですか、人生に」

「うん……」

「ガンだったんですよ。三カ月前に病気がわかって、そこからあっという間だったんだけど、一度も東京に帰りたいって言わなかったんだって、お母さん。そういうのって、めっちゃ悔しいけど、でも、いいですよね、帰りたくて、帰れなくて、それで死んじゃうのって、悲しいじゃないですか、やっぱ……」

話すうちに沈んでいった声を、ミーコは笑顔で持ち上げた。

「だから、お母さん、幸せだったんですよね」

須玉《すたま》インターチェンジを過ぎて、諏訪インターチェンジまでは、あと四十キロ余りだ。

午前三時半——東の空に、少しずつ朝の色が交じりはじめる。

ノイズの交じるラジオから、古い曲が流れる。カーペンターズの『イエスタディ・ワンス・モア』。

カレン・カーペンターが死んでから、もう何年になるのだろう。中学生の頃、大ファンだった。レコードを何枚も買う小遣いなどなかったし、レンタルレコード店も、あの頃はなかった。ラジオでカーペンターズの曲がかかると、かたっぱしからカセットテープに録音した。だから、テープに残ったカーペンターズのナンバーは、どれもイントロの途中から始まっている。

ミーコは目をつぶっていた。眠っているのかどうかはわからない。ヒロも、もしかしたらさっきからタヌキ寝入りをしていたのかもしれない。

考えすぎだな、と笑った。二人がいまもまだ手をつないでいる、そのことだけでいい。

諏訪インターまで、あと一キロ。メーターは三万円を少し超えたところで止まっている。一万円ちょっとなら、自腹でなんとかなるだろう。

『イエスタディ・ワンス・モア』をリクエストしたのは、十四歳の中学二年生の女子だった。

目の前に「今日」と「明日」しか広がっていないような十四歳にも、帰りたい「昨日」はある。教師を辞めてから、やっとそのことが少しずつわかりかけてきた。

人生が二度あれば、今度はいい教師になれそうな気もするが、人生は一度きりだからおもしろいんだよな、とも思う。

たぶん、ミーコの母親も、人生が一度しかないからこそ家族を捨てたのだろう。

そして、遺《のこ》されたミーコは——。

たった一度の人生を、べつに他人から褒められなくていい、後悔することがあったってかまわない、とにかく元気で、できれば幸せに過ごしてくれれば、嬉しい。

諏訪インターで高速道路を降りると、茅野《ちの》市街をバイパスで抜けて、あとは大門《だいもん》街道を、ひたすら上っていく。暖房をつけた。夜明け前の冷気は車の中にも入り込んで、背筋がこわばるほど寒い。

窓の外が、ほんのりと白い。遅霜《おそじも》がおりているのかもしれない。

東の空が明るくなってきたが、ミーコとヒロは、まだ目を覚まさない。ぎりぎりまで寝させてやろうと決めていた。夜が明ければ、霜に白く輝く風景が二人を包み込むだろう。

それが美しい風景なのか哀しい風景なのか、答えは二人がオトナになったときに決めればいい。

ヒロが寝言をつぶやいた。

「……かあちゃん」

修二は声を出さずに笑って、アクセルをグイと踏み込んだ。

石の女

1

　ミッキーマウスが、十五通。キティちゃんが九通。今年はスヌーピーが不振でまだ六通にとどまっている代わりに、くまのプーさんが健闘して八通を数えた。

「自分の子供、見せ物にして、なにがおもしろいんだろうね……」

　雅美《まさみ》はつぶやいて、手に持った年賀状をトランプの捨て札のようにコタツの上に置いた。僕の会社の部下から来た、幼稚園の女の子の写真がプリントされた葉書だ。フレームの隣にはミッキーマウスがいる。これで十六通め。あいかわらず強い。今年もトップの座は譲らないだろう。

「あんまり可愛くないな」

　僕は、ことさらに冷ややかに笑った。「だよね」と笑い返す雅美の顔を見たくなくて、お猪口《ちょこ》の日本酒を啜《すす》った。

　元日のお昼前、年賀状を一通ずつ読んでいく楽しみを失ってから、もう何年になるだろう。我が家にとっての元日は、もしかしたら一年でいちばん寂しさを感じてしまう日なのかもしれない。

「並河《なみかわ》さんち、もう上の子が高校受験だって。まいっちゃうなあ」

雅美は新しい葉書に目をやって、うんざりしたような声を出す。

実際、どうしてこんなに年賀状に子供たちを登場させる連中が多いのだろう。独身だった二十代前半はまったく気にならず、結婚後も三十前までは「まあ、そういうものなんだろうな」と深く考えることもなく納得していたことが、三十代にさしかかってから、急に胸にひっかかるようになった。それも、歳を一つとるごとにチクチクと痛みを増して。

僕も雅美も、今年、四十一歳になる。

結婚して十六年め。

子供は、いない。

不妊の原因は雅美の側にあった。排卵数が極端に少なく、卵巣の機能が妊娠に耐えられないのだという。

事情を知らない親戚《しんせき》や友人たちは、二十代のうちは「まだなの?」と驚き、三十代の半ばまでは僕たちを励まし、後半からは慰めの言葉を口にするようになった。タイミングが合わないだけ、運が悪いだけ、仲が良すぎるんだよ、だいじょうぶ、いつかできるさ……。

何年か前に、雅美は年賀状を出すのをやめた。僕の出す年賀状も、差出人の名前は夫婦連名にしないように言われた。「『ウチには子供がいません』って、わざわざ教えることもないじゃない」と、負い目なのか見栄《みえ》なのか、つまらないことを、だからこそ思い詰めた顔で言い張ったのだった。

雅美の手が止まった。一通の年賀状を食い入るように見つめ、胸の中の空気をすべて吐き出すようなため息をつく。

そっと覗《のぞ》き込んだ。雅美の中学時代の友人からの賀状だった。三人家族をイメージしているのか、大きなタツノオトシゴ一匹と小さなタツノオトシゴ一匹並んだ絵柄の葉書に、手書きのメッセージが添えてある。

〈龍之介《りゅうのすけ》クンにもよろしく！　お目にかかるのを楽しみにしています　史子《ふみこ》〉

僕の視線に気づいた雅美が力のない笑みを浮かべて「わたしが悪いんだから」と言うと、陽当たりのいいテラスに寝そべっていたシベリアンハスキーが、くうん、と鳴いた。今年十三歳になる僕たちの〝息子〟――龍之介だ。

しかし、史子さんの頭に浮かんでいる龍之介は、今年十三歳になる小学六年生の男の子。

「なんで、あんなこと言っちゃったんだろうなあ……」

雅美の声は半べそになり、僕は黙って酒を啜る。レースのカーテン越しに、龍之介が見える。年老いた〝息子〟は、最近めっきり足腰が弱くなり、昼間はテラスからほとんど動かない。よく下痢《げり》もする。もう長くはないだろう、と〝両親〟は覚悟を決めている。


去年の正月、雅美は中学時代を過ごした海辺の町をひさしぶりに訪れた。卒業以来初めての同窓会に出席したのだ。

案内状を受け取った雅美が「行ってみようかなあ」と言いだしたとき、少し驚いた。短大やOL時代の仲間が集まる会には、たいがい欠席する。「だって面倒くさいもん、近況報告とか」――それ以上の詳しい説明はしないし、僕も訊《き》かない。断りきれずに顔を出したときも、いつも不機嫌になって帰宅する。理由は話さないし、訊かない。

「でも、中学の友だちだったら、べつにもう会うこともないんだし、気楽でいいわよ」

転勤族の家庭に育った雅美がその町で暮らしていたのは、中学時代の三年間だけだった。当時の同級生との付き合いは、いちばんの仲良しだった史子さんと年賀状をやりとりする程度だったが、雅美が年賀状を送るのをやめてからは、それも途絶えていた。確かに、どこがどう気楽なのかはもちろん訊かなかったが、ただ懐かしさにひたればそれでいい一日になるはずだった。

だが、雅美は、会場のホテルで、思いも寄らない言葉を史子さんから投げかけられた。

「龍之介くんって、中学受験するの？」

もう十年近く前の雅美の年賀状に〈龍之介も二歳になりました〉と書いてあった。史子さんは再会にそなえて古い葉書ファイルを読み返し、年齢を計算してきたのだ。

帰京した雅美は、がっくりと落ち込んで、いきさつを僕に話した。

「……わたし、龍之介のこと知ってる誰かのと間違えて、フミちゃんの葉書に書いちゃったんだと思うの」

雅美は史子さんの勘違いを訂正しなかった。龍之介をほんものの息子にして、話を合わせてしまった。

「だって、ほかにもたくさん友だちがいて、話が盛り上がってて……しょうがなかったの、勢いっていうか、そういうのあるでしょ？」

僕は怒らなかった。怒れるわけがない、という気もして、ただ哀しみだけ嚙《か》みしめた。

救いは、海辺の町にいまも暮らす史子さんと、東京暮らしの雅美との距離だった。

しかし、その救いも、去年の暮れにかかってきた史子さんからの電話で断ち切られた。

冬休みに息子を連れてディズニーランドに遊びに行くついでに、ぜひ会いたい――。

一月九日に、我が家に来る。

「龍之介くんと会うの、すごく楽しみ」と史子さんははずんだ声で言っていたらしい。

2

陽が落ちた頃、龍之介をテラスからダイニングに入れてやった。庭と部屋の、ほんのひとまたぎの段差も、年老いた〝息子〟は自分の力では乗り越えられない。背中から抱きかかえても、以前のような持ち重りは感じられない。

雅美は、食事用の陶器の皿を龍之介の前に置いた。いつものペットフードに加えて、伊達《だて》巻きと黒豆を添えていた。

「昔は田作りが大好きだったよね、龍之介。あと、ローストビーフなんて、ほとんどブロックのまま食べてたもんね」

しゃがみこんで、龍之介の背中を撫《な》でながら、懐かしそうに言う。

僕はリビングのコタツに戻り、朝から夕方までかけてもほとんど中身が減っていないおせちの重箱をぼんやり見つめた。数年前、まだ龍之介が若かった頃は、四人前のおせちを頼んでも正月三が日はもたなかった。僕と雅美も若かった。今年は三人前の、小ぶりなやつにした。来年は……もう、重箱に詰めたおせちは買わなくていいかもしれない。

龍之介は床に腹這《はらば》いになったきり、食事には興味を示さない。ときどき思いだしたようにしっぽを小さく振るのは、〝両親〟へのせめてもの「ありがとう」のつもりなのだろうか。

十三歳。僕と雅美が二十八歳の頃から、ずっといっしょだった。結婚二年めだったか、もう三年が過ぎていただろうか、その頃にはすでに僕たちがほんものの息子を持つことは難しいだろうとわかっていた。不妊治療を本格的に受けるかどうか迷っていた頃。雑誌に載っていたクリニックを夫婦で訪ね、やはり自然妊娠は無理だろうと診断された帰り道、たまたま通りがかったペットショップで生まれたての龍之介を買った。雅美が欲しがった。「シベリアンハスキーって、トレンドだもんね」と、たぶん、理由をずらして。

雅美はしゃがんだまま僕を振り向いた。

「龍之介、寝ちゃったみたい」

寂しそうに笑う。


「一年の計は元旦《がんたん》にあり」という言葉を信じるなら、僕と雅美の今年はどうやら最低のものになってしまいそうだ。

午後からずっと、一年前の嘘の後始末に悩まされた。夜になっても、まだ結論は出ない。

いちばんシンプルで、いちばん正しいやり方は、史子さんにすべてを打ち明けること。「ごまかしてもどうにもならない問題なんだから」と僕は繰り返した。お金や手間隙《てまひま》でどうにかなるというものではない。あたりまえだ。小学六年生の息子がいま目の前に現れてくれるわけがないし、シベリアンハスキーの龍之介がランドセルを背負った龍之介になってくれるわけもない。

雅美にもそれはよくわかっていた。だが、頭では理解していても、心が、まだなにかにすがろうとしている。

「フミちゃん、すごく楽しみにしてるの」

「しょうがないだろう。嘘は嘘なんだから」

「それはそうだけど……」

「急用ができたってことにして、会うのやめるか？　とりあえずは、それでなんとかなるだろう」

　あいまいにうなずくしぐさは、納得しているようには見えない。

「あと、子供が風邪をひいて来られなくなった、っていうのもあるよな」

　これも、だめだった。

「じゃあ、どうするっていうんだ」僕の声も、とがった。「息子なんかどこにもいないんだぞ、わかってるだろう？」

　雅美は僕のお猪口をとって、冷めた日本酒を一気に飲んだ。お猪口が空くと、お銚《ちよう》子《し》からさらに注いで、また飲んだ。

　目元がほんのりと赤くなる。洟《はな》をすする音が、急に湿り気を帯びてきた。

　僕は雅美が食卓に置いたお猪口に酒を満たし、今度は自分で飲んだ。

「おまえが言いづらかったら、俺が史子さんに電話して話してもいいぞ。わかってくれるさ、史子さんだって」

雅美は黙ってかぶりを振って、またお猪口をとり、酒を飲む。ビールをグラスに半分で眠くなってしまう雅美が、味わってなどいない、泣きだしそうな顔で酒を呷《あお》る。

「わたし、なんにもないの」

「なんにも、って？」

「勉強もあんまりできなかったし、ＯＬの頃も結婚退職のことしか考えてなかったし、いろんな習い事やっても、ちっともうまくならなかったし……主婦なんて言ったたって、べつに料理が得意なわけでもないし、車もペーパードライバーだし、ガーデニングやってもすぐ枯らしちゃうし、英会話もやめちゃったし、龍之介がいたからろくに旅行もできなかったし、太っちゃったし、小皺《こじわ》も増えちゃったし……なんにもないの、わたしの人生なんて」

「そんなことないって。俺だって平凡な人生だよ、みんな同じなんだよ」

「でも、あなたには仕事があるじゃない。苦労もしてると思うけど、生き甲斐《がい》があるでしょ？　わたし、それ、ないんだもん」

しゃっくりが一つ——いや、嗚咽《おえつ》だった。雅美の目から涙があふれる。泣き声を喉《のど》に押し戻すように、酒を飲みつづける。

「フミちゃん、すごく活《い》き活《い》きしてたの。子供のことで大変だ大変だって言いながら、嬉《うれ》しそうだった。中学の頃って、わたしより勉強できなくて、顔も可愛くなくて、わたしのほうがぜったいに幸せな人生になるよねって思ってたのに……負けちゃった」

最後は無理に笑った。僕も「勝ち負けなんて関係ないって」と笑い返した。だが、雅美の笑顔はすぐに嗚咽にかき消されたし、僕の頰はため息をこらえきれない。

しばらく沈黙がつづいたあと、雅美は虚空にまなざしを放って、ぽつりと言った。

「昔、ダンナさんの実家に、妊娠したって嘘をついちゃって、産婦人科から赤ちゃんを盗んだ女のひとがいたよね。わたし、なんだか、その気持ちわかっちゃうんだよね……」

僕はトイレに立つふりをして、携帯電話を手に洗面所に向かった。横浜に住む妹に電話をかけると、うまいぐあいに甥《おい》っ子の恭平《きようへい》が出た。

「冬休み、十日まであるんだろ。ひさしぶりに泊まりに来ないか」と誘った。

恭平は、小学五年生だった。

3

一月五日、仕事始めの会社を休んで、かかりつけのペットクリニックに龍之介を連れていった。元旦からほとんどなにも食べていない。水を飲む量も減った。三が日の間は昼間はテラスに出ていたが、四日はダイニングの床に腹這いになったきり、「ひなたぼっこするか？」と背中をさすってやっても反応はなかった。その夜、ひどい下《げ》痢《り》をした。子犬の頃からトイレには神経質なぐらいきれい好きだった龍之介が、初めて、ダイニングの床に汚物を垂れ流したのだった。

検査を終えた医師は、パソコンの画面に映し出された数値データをチェックして、眉間《みけん》に深い皺を寄せた。

「そうとう衰弱してますね。まあ、大型犬の十三歳だと、歳も歳ですし……」

腎臓《じんぞう》の機能が低下し、肺や心臓も弱っているのだという。

涙ぐむ雅美を背中の後ろに隠して、僕は訊いた。

「いつまで、もちそうですか」

医師はパソコンの画面から目を離さず、「今日明日ということはありませんが、春までは、ちょっと難しいかなあ」と言った。

　雅美が僕の腕を後ろからつかむ。細い指がわななきながら、僕の腕に食い込んでくる。

　僕たちの〝息子〟は治療台に横たわり、白く濁った目で虚空を見つめていた。

「どうしますか？　入院させるんでしたらベッドは空いてますが」

　僕と雅美は、ほとんど同時に首を横に振った。「家で過ごさせます」と僕が言うと、すぐに雅美が「最後までいっしょにいてやります」とつづけ、いままでぴくりとも動かなかった龍之介もしっぽを一度だけ振った。

　僕たちは、ほんとうに仲のいい〝家族〟だったのだ。


　それでも、もともと体力のあるシベリアンハスキーだ、病院で栄養剤の注射を打ってもらってからは、体調は少しずつ持ち直していった。

〈いま、おじや食べてます。すごく美味《おい》しそうに食べてるのよ〉と雅美が会社にメールを送ってきたのは、六日の午後。七日にはテラスに出て、狭い庭を少し歩いた。若い頃は雅美が肘《ひじ》を脱臼《だっきゅう》しかけるほど勢いよく牽《ひ》き綱をひっぱって公園に向かっていた龍之介の、それがいまのせいいっぱいの散歩だった。

七日の夜、残業を早めに切り上げて九時前に家に帰ると、雅美は一人でワインを飲んでいた。ダイニングで眠る龍之介をぼんやりと見つめて、昔のことをとりとめなく思いだしていたのだという。

僕もオンザロックのウイスキーで付き合った。テレビは点《つ》けない。音楽も聴かない。グラスの中で氷が触れる音も聞こえるほどの静かな夜になった。

「最初から、この子のほうが先に逝《い》っちゃうことは覚悟してたんだけどね……」

「俺だってそうさ」

「でも、そういうのって忘れちゃうのよね、毎日いっしょだと」

黙ってうなずいた。ウイスキーの酔いが瞼《まぶた》の裏に染みてくる。

子供のいない寂しさを紛らすために飼った。いいことか悪いことかはわからない。龍之介の十三年間が幸せだったのかどうかも。

「夏の盛りよりも、梅雨時のほうがバテてたよな、あいつ」

「うん、すぐに部屋に入りたがってね。すごい甘ったれなんだから」

「おまえがすぐに甘やかすんだよな。俺は厳しかったけど」

「なに言ってんの、風邪こじらせただけで会社休んで看病してたくせに」

「課長に思いっきりイヤミ言われたけどな」

思い出話は、懐かしさよりもせつなさを連れてくる。

龍之介は、子供の代わりだったのか。「違う、龍之介は龍之介だ」と言いたいが、たぶんそれは嘘になる。生後数年で去勢手術をした龍之介は、〝息子〟のままで生涯を終える。〝親〟になる権利を、僕たちが奪った。

「龍之介、最後に東公園に連れていってやりたいけどねえ……」

雅美は頬づえをついて言った。

芝生の広場のある東公園は、二、三年前まで、龍之介のいちばんお気に入りの遊び場だった。

だが、ある日、三人で出かけたとき、ゴールデンリトリバーを連れた中年の男に声をかけられた。彼の犬は雌で、不妊手術は受けていないのだと、得意げに言っていた。

「この子は『うまずめ』なんですよ、だから手術代が浮いて助かります」。

うまずめ——子供を産めない女のことだ。漢字で書くなら「産まず女」、あるいは「石女」。動物や植物のように子孫を残すことのない、石の女。ひどい言葉だ。

雅美の愛想笑いがスッと消えるのがわかった。僕はあわてて龍之介の綱を引いてその場を離れ、雅美は押し黙ったままついてきて、その日を境に、僕たちは散歩のコースを変えたのだった。

「でも、もう体がもたないよね、遠いから」

雅美は頬づえをついたままつぶやき、僕はグラスにウイスキーを足した。これからは家で酒を飲む量が増えそうな気がした。

翌日、甥っ子の恭平が泊まりに来た。

「いちおう事情は説明したし、練習もさせたから」と妹が言うと、恭平はさっそく雅美を「おかあさん」と呼んだ。

「恭平くん、ごめんね、ヘンなお芝居させちゃって」と雅美は申し訳なさそうな顔になったが、学校でもひょうきん者で通っているという恭平は明るく言った。

「ぜんぜん平気、なんかおもしろいじゃん」

そう、笑い話なのだ、これは。史子さんが息子を連れて訪ねてくるのは明日の昼過ぎ。夕方にはひきあげるだろうから、数時間だけ、ごまかせればいい。

恭平にうながされて、雅美もリハーサルで〝息子〟を呼んだ。

「……龍之介」

声が震えていた。

「はいっ」と恭平は屈託なく言った。

ダイニングの龍之介は、眠っているのか、なんの反応も示さなかった。

4

恭平は僕たちの期待以上にお芝居の好きな子供だった。

「龍之介」「はーい」「おい、龍之介」「なに？　おとうさん」「龍之介、ジュースあるけど飲む？」「うん。おかあさんは？」「龍之介、おまえいくつだっけ」「六年生で、受験はしないんだよね」「挨拶《あいさつ》すんだら、龍之介はもう遊びに行ってればいいから」「でもさ、おとうさん、お客さんにも子供いるんでしょ？　ぼく、遊んであげるね」「そんなのいいわよ、気を遣わなくたって」「だーいじょうぶだって、おかあさん」「生意気なこと言っちゃって、龍之介」……。

僕たちのほうも、少しずつなめらかに〝息子〟を呼べるようになった。最初の照れ笑いはすぐに消えたが、やがて照れくささとは別の種類の笑みが浮かんできた。

「龍之介は、なんて呼ぶの？」

恭平がふと気づいて訊《き》いたときも、すぐに「タローでいいだろ」と僕は答え、雅美もすんなりとうなずいた。

なんとかなる。

なんとかなってくれなければ、困る。

龍之介はあいかわらずダイニングの床に寝そべったままだ。妹が手土産に買ってきた老犬用のやわらかいペットフードも、皿に盛られたきりだった。

雅美と恭平の前ではなにも言わなかった妹が、帰り道、駅まで送っていく僕と二人きりになると、まいっちゃったね、というふうにため息をついた。

「おねえさんの気持ちもわかるけど……」

「明日一日だけだよ」

「それはそうだけど、かえってつらくならない?」

「いいんだ」恭平を呼ぶときの雅美の笑顔が浮かぶ。「ちゃんと割り切ってるから、いいんだよ」

妹は黙ってうなずいた。

「明日だけだから」と僕はもう一度言った。

「龍之介、もう長くないわね」

「ああ……」

「次はどうするの？」

「俺はまた飼ってもいいと思ってるけど、雅美はどうなんだろうな」

「二人とも八十まで生きるとして、あと二、三回はこういうことがあるんだね」

「今度は亀でも飼うかな」

妹は笑わなかった。僕も、つまらないジョークだったな、と少し悔やんだ。


その夜、雅美と恭平は和室に布団を並べて敷いて寝た。二階の寝室にも、遅くまで二人の笑い声が聞こえていた。僕は何度も何度もベッドで寝返りを打った。寝る前に読んだミステリー小説の筋は、ページをめくっているときにはどきどきしながら読み進めていたはずなのに、もうなにも思い出せなかった。

明け方、トイレに起きたついでにダイニングを覗《のぞ》いてみた。

龍之介は背中に毛布をかぶせられて、静かな寝息をたてていた。

しゃがみこんで、龍之介の頭を軽く撫《な》でてやった。

今日は、おまえはタローだからな——。

声に出さずにつぶやき、でもおまえはずうっと俺たちの〝息子〟だぞ、と付け加えた。

ドアの開く音が聞こえた。振り向くと、パジャマ姿の雅美が立っていた。

雅美も黙って龍之介のそばに来て、頭を撫でた。龍之介の奴、僕にはなんの反応も見せなかったくせに、雅美にはしっぽを小さく振って応《こた》えた。優しい〝息子〟だ、まだ子犬の頃から、ずっと。

「がんばらなきゃね、とにかく」

雅美は、ぽつりとつぶやいた。

「だいじょうぶ、うまくいくって」と僕は言って、片手を龍之介の背中にあて、片手で雅美の肩を抱き寄せた。

家族三人――誰がなんと言おうとも、僕たちは家族なのだ。


昼過ぎに我が家を訪ねてきた史子さんたちは、恭平をすっかり〝息子〟だと信じ込んだ。

思い出話がはずんだ。僕は話題が子育ての細かい話にならないよう気をつけたし、雅美も恭平を「龍之介」と呼ぶときに言いよどむことはなかった。恭平もよくがんばった。挨拶や会話にも、不自然なところはないし、史子さんの小学二年生の息子――浩之《ひろゆき》くんの遊び相手もうまくつとめている。

二時間ぐらいで帰ってくれればいい。龍之介は朝から眠ったままだ。昨日と比べても体が衰弱しているのがわかる。史子さんたちが帰ったらすぐに休日診療の動物病院を探して連れていくつもりだった。

　ところが、一時間ほど過ぎたところで、浩之くんが退屈してぐずりはじめた。「歳とって産んだ子だから甘やかしちゃって」と史子さんが苦笑するとおり、ずいぶんわがままな子供で、お菓子を出してやっても、恭平のゲームを貸してやっても機嫌は直らない。

　浩之くんに耳元でささやかれた史子さんは、申し訳なさそうに恭平に言った。

「龍之介くん、悪いんだけど、龍之介くんのお部屋、見せてやってくれない？　いまね、『おにいちゃんの部屋に行きたい』って」

「え？」

　恭平の顔がこわばった。雅美も、もちろん僕も。いちばん肝心なことを忘れていた。子供のいる家族ならあたりまえのものを、用意できていなかった。

　浩之くんはすっかりその気になって、恭平の手をとって「おにいちゃん、早く行こうよ」とせがむ。

「うん……でも……あのさ……」

恭平が助けを求めて僕たちを見る。

沈黙に耐えきれなくなった雅美が「フミちゃん……」と震える声で言いかけた、そのときだった。

龍之介が、吠《ほ》えた。

浩之くんの肩がビクッと跳ね上がるほどの大きな声で、何度も吠えた。

起きあがる。よろめきながらも窓のほうに歩いていき、頭をガラス窓に軽くぶつける。

散歩に行きたいときのサインだ。

しっぽを強く振った。

早く連れていって、と訴えた。目やにで白く濁った瞳《ひとみ》で、僕たちをじっと見つめていた。

5

僕たちは龍之介に救われた。「子供部屋に行きたい」と言いつのっていた浩之くんは、起きあがった龍之介を見ると、そっちのほうに興味が移って、「ワンちゃんと遊ぶ！」と言いだしたのだ。

「ねえ、おばさん、ワンちゃんの名前、なんていうの？」

一瞬口ごもった雅美に代わって、僕が「タロー、だよ」と答えた。ゆうべあれほど練習したのに、声が震えた。人間の身勝手さを許してほしい、と〝息子〟に詫《わ》びた。

龍之介を抱きかかえて庭に出してやった。ずいぶん痩《や》せた。あばら骨が浮いているのが指に伝わる感触から、はっきりとわかる。

龍之介はテラスを何歩か歩いて、腹這《はらば》いになった。ほんのそれだけのことで体力を消耗したのか、舌を出して、小刻みに息を継ぐ。

それでも、冬の午後のやわらかい陽射しを浴びていると、ダイニングの床に寝そべっているときよりは生気が感じられる……というのもまた、人間が身勝手に感じているだけなのだろうか。

玄関で靴を履いた恭平と浩之くんが庭に回ってきた。

「龍之介、狭いから走ると危ないぞ」

なにげなく声をかけたら、足元から龍之介の細い声が聞こえた。

僕を見上げていた。

違う、おまえじゃない、今日のおまえの名前はタローなんだ……。

僕が逃げるように目をそらすと、龍之介は今度は雅美を見て、くうん、と鳴いた。今度はもっと細く、そうだ、子犬の頃からいつも、僕たちに遊んでもらいたいときはこんなふうに鳴いていたのだった。

「タロー、おなか空《す》いたの？」と浩之くんが横から言うと、短く吠えた。

「タロー、タロー、遊ぼっ」

頭を撫でようとする浩之くんに向かって、龍之介は激しく吠えたてた。

「タロー！」

僕の叱る声を引き裂いて、さらに吠える。浩之くんがおびえて史子さんに抱きついていっても、吠えつづける。

「タロー！　やめなさい！　こら！」

叱りながら、詫びた。

許してくれ、と何度も詫びた。

龍之介は全身を波打たせて息を継ぎ、最後に一声吠えて、顔をテラスの床につけた。もう体のどこにも力が残っていないんだというふうに、元気だった頃はきつく巻いているのが自慢だったしっぽも、いまはだらんと伸びたまま動かない。

雅美は、そんな龍之介の前にしゃがみこんで、ゆっくりと頭を撫でた。

僕を見る。

やっぱりだめだよね、と寂しそうに微笑む。

僕も、そうだな、とうなずいた。

僕たちは龍之介の〝両親〟だ。子供に悲しい思いや寂しい思いをさせて平気な親なんて、親じゃない、ぜったいに。

雅美は毛並みを整えるように龍之介の背中を撫でて、静かに言った。

「……りゅ・う・の・す・け」

言葉というより音を、ひとつひとつ噛《か》みしめるように。いままで数えきれないぐらい口にしてきて、あと何度呼べるかわからない〝息子〟の名前の響きを、舌と唇と耳で確かめるように。

龍之介のしっぽが、小さく揺れた。

史子さんに抱かれた浩之くんが「あれ？　なんで？」と不思議そうに訊いた。

史子さんは僕をちらりと見て、それから雅美に目を移し、まぶしそうな顔で微笑んで、浩之くんを地面に下ろした。

「浩之、おにいちゃんにお散歩に連れていってもらえば？」

恭平には、目配せする必要もなかった。

「行こうぜ！」

浩之くんの手をひいて、ダッシュ——。


僕たちの嘘は、そんなふうにして終わった。


史子さんはリビングに戻ると、さっきと同じ笑顔で僕に言った。

「ごめんなさい、わたしの勘違いで、雅美にもご主人にもご迷惑かけちゃって……」

僕は「お芝居が下手でしたね」と苦笑いを返し、テラスに残って龍之介の背中を撫《な》でつづける雅美を窓越しに見つめた。

「中学生の頃から、あいつ、負けず嫌いだったんですかね」

史子さんは「さあ……」と笑うだけで、なにも答えなかった。

「僕たち、子供ができなくて、それがずうっと雅美の負い目になってたんです」

史子さんは黙って、小さくうなずいた。

「石の女」の話を、問わず語りに史子さんに聞かせた。うまずめ——石女。いつの時代の、どこの誰が、そんなひどい言葉をつくったのだろう。ひとりぼっちで涙を流した女のひとが、いったいどれくらいいただろう。

話が終わると、史子さんは軽くため息をついて庭に目をやり、「でも」と言った。

「お母さんの顔してますすよ、いま見てると」

「そうですかね」

「ええ、優しいお母さんですよ、すごく」

人間の子供と犬とは違うでしょうけどね、と言いかけてやめた。それは言ってもどうしようもないことだし、子供を産まなくても母親にはなれるんだと、いまは信じていたいし、たとえ母親ではないんだと言われても、かまわない、雅美は、僕の、かけがえのない妻だ。

恭平と浩之くんの笑い声が外の通りから聞こえてきた。史子さんは帰りじたくを始め、僕は庭に出る。

雅美は顔を上げ、照れくさそうに笑った。

「恭平たち帰ってきたから、部屋に入ろう」

「うん……」

「春になったら、龍之介連れて、東公園に行ってみたいな」

無理かもしれないとわかっていて、わかっていたからこそ、言った。

僕は雅美の肩を抱いた。石の女の肩は、こんなにもやわらかくて、かぼそくて、あたたかい。

「うわあ、あっつあつ！」とリビングから恭平がからかった。

龍之介が、くうん、と鳴いた。

白いしっぽを、一度だけ振った。

メグちゃん危機一髪

1

海沿いに走ってきた通勤快速電車は、多摩川《たまがわ》の鉄橋を渡って、工場や倉庫の建ち並ぶ一角に入ると、ラストスパートをかけてスピードをぐんと上げる。鉄橋を渡るときのカンカンという堅い響きが耳に残っているうちに、気の早い車掌が終着駅からの乗り換え案内を始めると、ああ今日もまた仕事か、と混み合った車内にため息が澱《よど》んでくる。

そんな毎日の、ささやかな潤い——だと、ニュースや新聞記事は伝えていた。

車内アナウンスのマイクを持つ車掌も、ちょっとしたサービスのつもりで、乗り換え案内のあとに付け加える。

「先ほど下り電車から入ってきた情報によりますと、今朝のメグちゃんは京浜第二運河で目撃されました。線路から五十メートルほど下流で遊んでいるとのこと、車窓からもご覧になれるかもしれませんので、線路が高架になりまして、昭和橋駅を通過しましたあたりから、進行方向右手、進行方向右手にご注目いただければ、と思います」

車内がざわついた。右側のシートに座るひとは首をよじって窓の外に目をやり、同じ右側の窓に向かって吊革《つりかわ》につかまったひとも、窮屈な姿勢でカメラ付きの携帯電話を取り出す。逆に左側に座ったり立ったりしているひとたちは、今日は失敗だったな、という顔になり、それでもまだわからないぞ、と自分の側の窓にちらちらと目をやる。

昨日は、メグちゃんは線路の左側――運河の上流にいた。おとといも左側。三日前は右側だったが、四日前には下流から別の運河に出かけていたので車窓から見ることができず、張り切っていた車掌を大いに落胆させたのだった。

晴彦《はるひこ》が今朝立っているのは、車両の右側。隣で吊革につかまる同僚の新井《あらい》に言わせれば、「朝からラッキー」ということになる。

「こういうのって、どうでもいいような話なんだけど、意外と大きいと思わないか？今日一日の運試しみたいなものだろ」

今朝で四連勝だと新井は自慢する。通算しても――要するにメグちゃんが運河に姿をあらわすようになってからの二ヵ月間、八割以上の確率でメグちゃんを見ている。偶然に頼るのではなく、競馬や競輪の出目を読むように、今日は右、今日は左、と決めたうえで的中させるのだ。

今朝もそうだった。晴彦は最初は左側の窓に向き合う恰好《かっこう》で立っていた。途中の駅で乗り込んできた新井が「よう、珍しいな、同じ電車になるなんて」と声をかけてきて、「メグちゃんを見るんだったら、今朝は右のほうがいいと思うぜ」と半ば強引に場所を変えさせたのだった。

電車は小さな駅をいくつか通過して、両脇に建ち並ぶ倉庫の軒先をかすめるような恰好でスピードを上げる。

「そろそろだな」と新井が言った。

晴彦は窓の外をぼんやりと見つめたまま、黙って、気のない相槌《あいづち》を打った。

どうでもいい。メグちゃんに興味はない。

たかが――と、いつも思う。

たかがアザラシじゃないか――。

視界がしだいに開けてきた。線路が高架になったのだ。二キロほどの高架区間は、何本もの運河が縦横に交差する区間でもある。昭和橋駅を通過して間もなく渡るのが、京浜第二運河――メグちゃんのお気に入りの場所。

「お、いたぞ、いた」

新井が肘《ひじ》でつついてきた。

あちこちで、携帯電話のカメラのシャッターを切る音が聞こえる。歓声をあげるほど幼くはなくても、車内ぜんたいが、ふわっと浮き立った明るさに包まれる。

メグちゃんは運河の真ん中を悠々と泳いでいた。首とひとつづきになった顔を水面から出して、電車をじっと見つめていた。両岸には見物客の人だかりができていて、朝のワイドショーに間に合わせるのだろう、テレビカメラをかまえた一群もいる。

かわいい——のか？

晴彦にはわからない。テレビや雑誌のグラビアで、メグちゃんの顔がアップになったところは何度も見ている。そのたびに首をかしげてしまう。ほんとうに、たかがアザラシの、どこがかわいくて、こんなに大騒ぎしているんだ……？

電車が京浜第二運河を渡りきり、メグちゃんの姿が視界から消えたあとも、車内の空気はほんのりとゆるんだままだった。

晴彦は吊革を強く握り直す。なごんでる場合じゃないんだぞ、と自分に言い聞かせる。

今日明日がヤマ場だと、営業部一同、見ている。もう時間がない。今週中——九月のうちに、秋の人事異動が発表されるだろう。大幅にして抜本的な、社長がマスコミに語った文句を借りれば「労使ともに血を流す」リストラだ。ターゲットになるのは中高年の管理職クラス。四十歳の晴彦は、再編が確実視されている首都圏営業部の営業二課長だった。

車窓の風景に高層ビルが目立ちはじめた。車内の空気は再び引き締まってくる。

「なあ、工藤《くどう》」

新井が言った。

目で応《こた》えると、「メグちゃん、いつまでいるんだろうな」と、のんきな話題を口にした。

「さあな……」苦笑いが浮かぶ。「どうでもいいけどな」

新井も小さくうなずいたが、「でも」とひるがえした。「連勝記録、俺、けっこう気にしてるんだよなあ」

本音だろう、と晴彦は思う。ゲンを担ぎたくなる気持ちはよくわかる。

新井は首都圏営業部の営業一課長――今回のリストラで最も現実味を帯びて噂されているのは、一課と二課の合併だった。たとえスタッフの減員がなくとも、課長は一人きりになる。晴彦と新井のどちらかが残れば、片方は飛ばされる。あるいは二人とも居場所を失ってしまうか……。

「じゃあ、なんで俺に教えたんだ？」晴彦は訊《き》いた。「ゲンを担ぐんなら、俺に教えなくてもよかったのに、今日なんて」

一瞬きょとんとした新井は、ああ、そういうことか、と笑った。

「俺、そこまでセコくないし、べつに工藤と争ってるつもりもないし……同期なんだから、仲良くやろうぜ、な？」

つまらないことを言った。

そして、つまらないことを新井に言わせてしまった。

話はそこで途切れ、高架区間を走り終えた電車はビル街の谷間に潜り込んで、つんのめるように減速した。

終点のS駅までは、あとわずか。オフィスへはS駅からJR線で一駅。営業部の橋《はし》爪《づめ》部長の顔色や、会議室に掛かった〈使用中〉のボードが気になる一日が、今日も始まる。

「工藤、知ってるか？」

新井は声をひそめて言った。

メグちゃんのこと——。

「命を狙われてるんだよ、あいつ」

「……はあ？」

「ネットにあるだろ、ヤバい掲示板。そこで盛り上がってるんだってさ、メグちゃん暗殺しようぜ、って」

「なんで？」

「なんでって……まあ、世の中にはわけのわかんない奴がたくさんいるってことだよ」

どう返せばいいのか戸惑っているうちに、電車はS駅のホームに滑り込んだ。

ドアのすぐ前の掲示板に、ゆうべまではなかったポスターが貼ってあった。宿直の駅員が暇つぶしに作ったのだろうか、手書きの文字に雑誌のグラビアの切り抜きを組み合わせただけの、ちゃちなポスターだった。

〈メグちゃん見物は、××電鉄京浜線でどうぞ！　昭和橋駅下車、京浜第二運河までは徒歩一分〉

メグちゃんの写真は、船溜《ふなだ》まりの桟橋でひなたぼっこしているショットだった。こっちを向いている。目と目が離れた顔立ちは、かわいらしいと言えば言える。晴彦もアザラシが嫌いなわけではない。水族館で見かけたら、「へえ」と足を止め、微笑み交じりに眺めるだろうな、とも思う。

だが、駅員は、マンガの吹き出しをつけて、メグちゃんに台詞《せりふ》をしゃべらせていた。

〈仕事に疲れたら、ボクに会いに来て！〉

そういう発想が嫌いなのだ、要するに。


午前十時に始まった部長会議は、昼食時になっても終わらなかった。途中から労務担当の役員も会議に加わり、幹事をつとめる総務部長は会議室の午後の予約をすべてキャンセルするよう課員に伝えた。

この会議ですべてが決まるのだろう。覚悟はできている。ここでどんなにじたばたしようとも、なるようにしかならないのだ。

頭では納得していても、仕事が手につかない。パソコンを操作しても、部下に指示を出しても、つまらないミスばかり繰り返してしまう。同じフロアの隣の「島」――営業一課が気になってしかたない。新井はふだんと変わらず電話で軽口を叩き、橋爪部長の軽い悪口でまわりを笑わせ、ついさっき部下を誘って食事に出かけたところだった。

自信があるのだ。若い頃からそうだった。勝算が五分五分のビジネスでも、とりあえず「なんとかなりますよ、任せてください」と手を挙げる性格だ。七分三分であっても「万が一のことがありますから」と失敗の場合の手当てを考える晴彦とは対照的で、だから、再編後の首都圏営業部が「攻め」の姿勢でいくなら新井が、「守り」を固めるのなら晴彦が、新しい課長に横滑りすることになるだろう。

出口の見えない不況なんだから「守り」に徹するに決まってるじゃないか、とは思う。

だが、出口の見えない不況だからこそ「攻め」に打って出ないことにはじり貧になってしまう、という気もする。

経営陣はどっちの判断を下す――それがわかれば苦労はしない。

ふう、と息をついた晴彦はパソコンの画面をウェブブラウザに切り替えた。こんなことをやってる場合じゃないだろう、と自嘲《じちよう》気味に思いながら、仕事の合間を見つけてはブラウザを開き、「メグちゃん」で検索したサイトをしらみつぶしにチェックしている。

電車の中で新井に言われた言葉が、妙にひっかかっていた。

メグちゃんを殺す――？

世の中はこんなにもすさんでしまったのか、と背筋がぞっとする一方で、なるほどなあ、と頬がついゆるみもする。

俺はやらないぞ、そんなこと。言い訳まがいに何度も自分に確かめる。やるわけないだろう、メグちゃんにはなんの罪もないんだから。あたりまえだ。それがおとなの良識というものだ。

それでも……気持ちは、わかる。胸の奥深く、良識の光の射さない暗いところに、俺だってもしかしたら、という思いは、確かに、ある。

クリックとスクロールを繰り返した。空振りがつづく。まっとうなサイトはもとより、知っているかぎりの裏サイトも巡ってみたが、メグちゃん暗殺の話はどこにも出ていない。

新井にだまされたのだろうか。いや、だが、新井は調子のいい男だが、嘘をついて喜ぶような奴ではない。

ため息をついてブラウザを閉じると、外回りから帰ってきた豊田《とよだ》に「課長、昼飯行かないんですか？」と声をかけられた。

うん、まあ、とあいまいにうなずきかけて、ここで待っててもしょうがないんだし、と思い直した。

「いま行こうと思ってたんだ」笑顔を無理につくった。「豊田もまだだろ？　一緒に行くか」

「ええ、それはいいですけど……」

豊田は部長の席にちらりと目をやって、「まだ会議なんですか？」と訊いた。

「長期戦みたいだな」

「役員も入っていったって聞きましたけど」

「ああ。労務の青木《あおき》さんな。けっこうシビアな話になるんじゃないか？」

余裕のある受け答えができた、と思う。

逆に豊田のほうが気を遣って「いいんですか？　外に出ちゃって」と及び腰になった。

「だいじょうぶだよ、待機してろって言われたわけじゃないんだし。いいから、行こう」

席を立ち、エレベーターホールに向かって大股《おおまた》に歩きだした。

少し遅れて豊田もついてくる。近くの席にいた同僚に、声かけなきゃよかったよ失敗しちゃったな、というふうに肩をすくめたのが視界の隅をよぎったが、気づかなかったことにした。

「メグちゃんですか？」

日替わりランチのポークソテーにナイフを入れながら、豊田は意外そうな声をあげた。「知ってるだろ？」と晴彦が念を押すと、「そりゃあまあ、有名ですからね」と笑って、「でも、どうしたんですか、いきなり」と怪訝《けげん》そうに言う。

確かに唐突ではあった。仕事がらみの話を簡単にすませると食事の半ばで話題に詰まってしまい、リストラのことは話したくも聞きたくもなかったので、「どう思う？」とメグちゃんのことを訊《き》いたのだった。

「あいつも意外と長いですよね、人気。いつから東京湾にいるんでしたっけ」

「八月だよ。ほら、七月の終わりの台風のあと、目黒川で見つかったんだ」

「あ、それでメグちゃんになったんですか」

「そうそう。目黒のメグだよ」

もっとも、メグちゃんが目黒川にいたのは最初の数日だけだった。不意に姿を消して、「死んでしまったのか」「いや、満潮に乗って海に帰っていったんだ」とひとしきり騒がせたあと、目黒川が注ぎ込む京浜第二運河で再び発見された——と、空振りつづきだったネット検索で、メグちゃんの知識だけは人並み以上に増えてしまった。

「もともと北極とかにいる種類なんでしょ？」

「うん、アゴヒゲアザラシっていって、北海道あたりならふつうに棲《す》んでるみたいなんだけど……東京湾は、さすがにな、異常なんだよ、おかしくなってるんだ、自然も」

東京湾に注ぐ別の川の河口では、ボラが海から大量に押し寄せて、酸欠で何百尾と死んだ。羽田空港の滑走路に無数の水鳥が飛来して飛行機が何便も欠航したのもこの夏の出来事だったし、アナゴ釣りの針に深海魚が掛かったというニュースも、最近どこかで目にしたことがある。

今年の夏は記録的な冷夏だった。去年かおとといは、記録的な猛暑だった。桜の開花が例年より一ヵ月近く早かったのは、たしか二年前。梅雨明け宣言が結局出ずじまいだった年も、それが何年かは忘れてしまったが、ここ数年のいつかだったことは確かで、そういうのをあっさりと忘れ去ってしまうことじたい、なにかが麻痺《まひ》している証拠なのかもしれない。

そんなふうに思うと――メグちゃんのどこが微笑《ほほえ》ましい？　いるべきではないところに迷い込んで、そのまま棲みついてしまったアザラシは、むしろ禍々《まがまが》しささえ感じさせる存在ではないのか？

「俺な、どうもメグちゃんってので、好きになれないんだ」

「はあ……」

「癒《いや》しとかオアシスとか、ふざけんな、って思うんだよな」

「まあ、確かに、妙な具合に盛り上がってますよね、メグちゃん」

豊田は形だけうなずいた。だが、地下鉄を乗り継いでオフィスに通う豊田は、メグちゃんのことをテレビや雑誌を通じてしか知らない。実際にメグちゃんを見ていなければ、この気持ちはわからないだろう。ましてや豊田はまだ二十代半ば——仕事がようやく面白くなりかけた頃だ。

「メグちゃんを暗殺するって話、聞いたことあるか？」

「はあ？」

「なんか、インターネットで盛り上がってるとか、噂なんだけどな……」

期待して言った言葉ではなかった。朝から背負いつづけたもやもやを、口に出すことで少しでも振り払いたいと思っただけだった。

ところが、豊田はあっさりと「ああ、それ知ってますよ」と言った。「インターネットかどうかはわからないんですけど、聞いたことあります」

大学に通う弟が、つい何日か前、そんな話をしていたのだという。

「弟さんも……」

「まさか、そこまでアホじゃないですよ。あきれて笑ってたんです。なに考えてるんだろ、そういう奴ら、って」

「……なんで殺したいのかな、メグちゃん」

「目立ちたいだけなんじゃないですか？　あと、逆にメグちゃんが目立ってるからムカついてるとか。アザラシ相手に張り合ってどーするんだ、って感じですけどね」

まったくだな、と苦笑交じりにうなずいたとき、テーブルに置いた携帯電話がぶるっと震えた。メール着信——オフィスに残っていた部下からだった。

〈部長会議、休憩です。橋爪部長もさっき戻ってきて、新井さんと工藤さんを探してました〉

決まったんだな、と一瞬だけ天を仰いで携帯電話のフリップを閉じる。

豊田も察しよく、よけいなことは訊いてこなかった。代わりに、ナイフとフォークで切り分けていたポークソテーに直接かぶりついて、フォークですくうライスの量も増えた。

「あわてなくていいぞ」

晴彦は一声かけて、付け合わせのサラダのトマトを、ことさらゆっくりと口に運んだ。

思いのほか酸味がきつかった。ドレッシングの胡椒《こしょう》も利きすぎている。早く呑《の》み込んでしまおうと顎《あご》を急いで動かしていたら、頬の内側の肉を噛《か》んでしまった。

2

混迷つづきの政局のニュースを伝えたニュースキャスターは、手に持った原稿を取り替えながら、「さて、次のニュースです」と気を取り直して頬をゆるめた。

キャスターが背にした映像は、内閣支持率の折れ線グラフから、メグちゃんの顔のアップに切り替わる。テロップは『メグちゃん、東京暮らしが三ヵ月目に』だった。

「十月に入って最初の日曜日となった今日も、メグちゃんは元気です。京浜第二運河、昭和橋付近で、のんびりと一日を過ごしていました……」

運河を泳ぐメグちゃんの姿が画面に映し出される。岸辺に集まる野次馬たちは、さすがに八月や九月頃と比べると数は減ってきたが、まだじゅうぶんにニュースのワンコーナーに価するにぎわいを見せている。

「しかしなあ……他にニュースのネタないのかな、ほんと」

晴彦はうんざりしてビールを啜《すす》る。日曜日の夕方のニュースで重苦しい話ばかり聞かされるのもナンだが、たかがアザラシ一頭のために報道ヘリまで飛ばすこともないじゃないかと思うのだ、いつも。

「でも、かわいいじゃない」と笑う妻の佐和子《さわこ》に「だったら動物番組でやれっていうんだ」と毒づいて、アルミホイルで包み焼きにしたマツタケにスダチを搾り込んだ。安価な外国産の、しかも旬を過ぎたマツタケ――それでも、せいいっぱいのごちそうで、ささやかなお祝いの夕食だった。

生き残った。

営業一課と二課が合併したあとの課長には、晴彦が任命された。経営陣は「守り」の営業を選んだのだ。

新井は地方の子会社に出向することになった。数年後の転籍含みの、だから片道切符の出向だった。

それを受け容《い》れたかどうかは、わからない。部長会議の翌日から有給休暇を取って、すでに十日が過ぎている。橋爪部長に届け出た休暇はおとといの金曜日までで、年次の休暇もそろそろ使い果たしてしまうはずだが、明日も会社には顔を出さないかもしれない。

まあ、新井はたくましい奴だから、どこに行ったって、あいつらしくやっていくさ――。

自分に言い聞かせて、再編後の営業課の戦略を部長と練り、かつての新井の部下とミーティングを重ねてきた。

俺が悪いわけじゃないんだ、決めたのは上の連中なんだから——。

そうだろう？　そうだよな？　と何度も自問しながら、満員電車に毎日揺られてきた。朝のメグちゃんにはお目にかかれない。右側の窓を向いている朝にはメグちゃんは左に姿をあらわし、左側の窓を向いていれば右側で泳いで、もしかしたら、この勘の悪さが自分にとってはゲン担ぎになっているのかもしれない、とも思う。

ニュースは、まだメグちゃんの話題をつづけていた。

専門家の間では、メグちゃんを生まれ故郷の北の海に帰してやるべきではないか、という声があがっているという。海外に本部のある動物愛護団体も同様のことを訴えて、今日の午後、昭和橋に横断幕を掲げたらしい。

「でもねえ……メグちゃんだって、帰りたくなったら自分で帰るんじゃないの？」

佐和子が言う。「自然に来ちゃったんだから、帰るのも自然に任せたほうがいいと思うけど」とつづけ、マツタケのありがたみなどわからない一人息子の泰樹《やすき》の皿に箸《はし》を伸ばす。

「お母さん、ドロボーしないでよ」「お肉と交換でいいじゃない」「マツタケのほうが高いじゃん」「値段を食べてるわけじゃないでしょ、マツタケなんて十年早いのよ」「じゃあさあ、マツタケ一切れと肉二切れで交換、どーよ」「セコいこと言わないの。もともと、これはお父さんのお祝いなんだから、あんた関係ないんだから」「どっちがセコいんだよお」……。

二人のやり取りを、やれやれ、と聞き流しながら、新井の家は女の子が二人だったな、と思いだした。追いかけて、新井は自宅を新築したばかりだということも。

四十歳の営業課長の転職が楽ではないことぐらい、晴彦にもわかる。片道切符で出かけた出向に、思いがけず帰りの切符が渡されることは、まずないだろう。単身赴任――定年まで？　自宅を売却して一家で引っ越すことができるのだろうか……？

テレビの画面は、水族館の飼育課長と大学の水産学部の教授のコメントを紹介し、昼間の昭和橋の映像に切り替わった。

カメラとマイクが、メグちゃん見物のひとたちの意見を拾っていく。

「やっぱり帰らせてあげたいですけどねえ、でも、かわいいしねえ、いなくなると寂しくなっちゃうし……」

夏からの常連だというおばさんが身勝手なことを言うと、女性リポーターは「そうですよねえ」と無責任に相槌《あいづち》を打つ。

「メグちゃんのおかげで、運河をきれいにしようっていう意識も出てきたことですし、環境問題のシンボルとして、いつまでもいてほしいですね」

晴彦と同年代の男が、もっと身勝手なことを言う。

いいかげんにしてくれ、と男をにらみつけたままリモコンを手に取った、そのとき――。

まなざしが画面の一点に吸い寄せられた。

男の後ろにいる見物人の一人が、テレビのカメラにはなんの興味も示さず、橋の欄干から身を乗り出してメグちゃんをじっと見つめていた。

横顔だけでわかる。間違いない。

新井だった。

月曜日も新井は会社に来なかった。届けも出ていない。無断欠勤ということになる。

「工藤くん、ちょっとまずいよなあ……これ、まずいよ」

橋爪部長は晴彦を自席に呼びつけて、苦りきった顔で言った。出向先への赴任日が翌週の月曜日に迫っている。出向を受け容れるなら仕事の引き継ぎを急いで終えなければならないし、万が一辞表を出すのなら、新たな出向要員を決める必要がある。

「多少は考える時間が要るにしても、さすがにタイムリミットだぞ。ケータイも電源切りっぱなしだし」

「ええ……」

昨日のニュースのことが喉元《のどもと》まで出かかっていたが、こらえた。小心者で通っている部長によけいな情報を与えると、話がさらにややこしくなってしまうだろう。

「家に電話してみるしかないかなあ……でも、新井くん、異動のこと、ちゃんと奥さんに話してるのかなあ……」

それ以前に、会社を休んでいることすら、家族には話していないかもしれない。

部長は頬づえをつき、たるんだ顎《あご》の肉を指で挟んで揉《も》みながら、ちらちらと上目づかいに晴彦を見た。

嫌な予感がした。

今朝は——見てしまったのだ、電車の中からメグちゃんを。

「工藤くん、ちょっと新井くんの家に電話してみろ」

断るわけにはいかない。部長会議の中盤までは晴彦を推す声と新井を評価する意見がほぼ伯仲……むしろ晴彦のほうが劣勢だったのを、橋爪部長が押し戻して逆転したのだと、部長本人から恩着せがましく聞かされていた。

「それでな、もし本人と話ができるようなら、出向の件、呑《の》むように説得してくれ。そうなるとここで辞められちゃうと、人事の話がまた一からやり直しになるんだから。工藤くんも困るだろう？」

うなずくしかない。出向先には、本社の営業部から課長クラスを一名送る。これはもう決定事項で、新井が辞表を出すのなら、代わりに誰かが赴任することになる。

「サバイバルだからな、生き残らなくちゃどうしようもないんだよ、実際……」

その言葉が向けられたのは新井なのか、自分なのか、よくわからないまま、晴彦は黙って一礼して部長の席を離れた。

社員名簿で新井の自宅の電話番号は確かめた。電話に奥さんが出て、新井が異動のことも欠勤のことも話していなかった場合の電話の切り方も、頭の中で何度も練習した。「あ、いけない、ケータイと間違えて家のほうに電話しちゃいました、すみませーん」――早口に、恐縮して言わなきゃだめなんだぞ、と念を押した。

だが、問題は新井が電話に出て、このまま会社を辞める気になっていた場合だ。電話で説得するのは無理だろう。じかに会って、ゆっくりと時間をかけ、筋道を立てて……新井が会う気になってくれなければどうしようもない。

まいったな、と舌打ちして部長の席を振り向いた。手持ちぶさたに朝刊を読んでいても、電話を代わる気はないだろう。ふだんでも厄介な相手や内容の電話には平気で居留守を使う部長だ。そんな男に恩を着せられ、これからも尻拭《しりぬぐ》いをやらされて、不興を買えばどこかに飛ばされてしまう。

サバイバルを「生き残り」と訳せば恰好はいい。だが、じつを言えば、ただの「逃げ遅れ」にすぎないのかもしれない。

電話をかける踏ん切りがつかないまま、しばらく社員名簿を見つめた。年賀状のやり取りでしか目にすることのない新井の住所を見ていると、家を建てる前、土地を物色している頃の会話がよみがえってきた。

一足先に京浜線沿線に自宅をかまえた晴彦に、新井は通勤電車の車窓風景を訊いてきたのだ。

「京浜線にいい物件があるんだけど、工藤、先輩としてどう思う？　地図で見ると、線路は海沿いになってるけど、電車から海は見えるのか？」

海を眺めながら通勤する、というのが若い頃からの憧《あこが》れだったのだという。

「意外とガキっぽいこと言うんだな」とからかうと、真顔で「毎日のことなんだから、そういう、ちょっとした楽しみが大事なんだよ」と返された。

残念ながら、新井が土地を買おうとしている街からだと、終点のS駅までの間に海の見える区間はほとんどない。東京湾でも特に埋め立ての進んだ地域だし、眺望をさえぎるビルも多い。線路が高架になると東京湾が間近に見えてくるが、おそらく、新井が期待している海岸の風景はそれとは違うものだろう。

正直に答えると、新井も予想どおり「そうか……」と落胆した顔になった。

「でも、船は見えるかな。動いてる船もあるし、岸壁に停まってるのもあるし、あと、造船所やドックの船もある」

「あ、そうか。それいいじゃないか、うん」

「あとは倉庫とか工場とかで、運河が多いよ、小樽《おたる》みたいなカッコいい運河じゃなくて、大きなドブみたいなもんだけど」

「運河って、海に通じてるのか?」

「たぶん」

毎日通っている路線でも、沿線のすべてを知っているわけではない。

「運河かあ……なんか、いかにもって感じだな」と新井は感に堪えたように言った。

なにがどう「いかにも」なのかは聞きそびれてしまったが、結局新井はその土地を買うことに決め、京浜線の住人になった。

通勤電車の中のちょっとした楽しみについても、その後あらためて聞いたことはない。ただ、メグちゃんのことは、確かにちょっとした楽しみの一つだったのだろう。最後の日に、メグちゃんを見つけて「お、いたぞ、いた」と肘《ひじ》でつついてきた、そのときの笑顔が、日を追うごとにくっきりとしてくる。

そして——自然と「最後の日」という発想になっていることに気づいて、少し嫌な気分にもなってしまうのだ。

仕事の忙しさに逃げ込むようにして、午前中は電話をかけずじまいだった。

だが、いつまでもこのままではいられない。現実に、異動の話を知らない取引先からは新井宛ての電話が何本もかかってきているし、封を切れない郵便物も溜《た》まっている。仕事があまりに滞ってしまうと、それはそのまま、新生・営業課の失点になる。

俺には責任があるんだ——。

自分に言い聞かせ、これは仕事なんだからな、と背筋に無理やりつっかい棒を入れた。

昼食時なので、「島」に残っている部下はほとんどいない。橋爪部長も席をはずしている。電話をかけるなら、いまだ。

受話器に手を伸ばした。

頼むぞ、と祈った。

新井は家にいなかった。

奥さんは、なにも——いっさい知らされていないようだった。

3

十年近く京浜線を通勤に使ってきたが、昭和橋駅で降りるのは初めてだった。

各駅停車しか停まらない小さな駅だ。高架の線路の両脇に、でっぱりのようにホームが付いている。利用客の大半は京浜第二運河に沿って建ち並ぶ冷凍倉庫で働くひとたちで、だから朝夕以外の時間帯は、ひとの乗り降りはほとんどない。

ホームの掲示板にはS駅のポスターよりさらにちゃちな〈メグちゃん見物　最寄り駅はこちらです〉という貼り紙があったが、電車を降りたのは、晴彦を含めて三人しかいなかった。さすがに平日の昼過ぎに電車に乗ってまで見物に来るほどの物好きはいないということか、少しずつメグちゃんも飽きられてきているのか、たぶん両方なのだろう。

ホームを歩いていると、かすかな風に乗って潮のにおいが漂ってきた。海水浴場や港とは違う、重油と埃《ほこり》と黴《かび》くささが交じり合って重く澱《よど》んだ、「悪臭」と呼ぶひともいるかもしれない、そんなにおいだった。

窓の閉じた通勤快速電車で通り過ぎるだけでは、決してわからない。メグちゃんの様子を伝えるニュースや新聞の記事にも、においのことは出ていなかった。

改札につづく階段を下りていく。ため息が何度も漏れる。

昼食をとったあと、得意先を何社か回ってくる――と嘘をついて会社を出たのだった。

出がけに橋爪部長が席に戻ってきたが、電話のことは報告しなかった。

いまなら、まだ間に合う。間に合ってくれなければ困る。

新井がここにいるかどうか、確信はなにもない。いてくれれば助かるという思いより、いてほしくない、という思いのほうが強い。

それでも、通勤電車の窓からメグちゃんを見ているだけではだめなんだ、という気がした。新井は電車を降りた。メグちゃんを直接見つめた。なんのために――？　わからないから、いま、ここに来た。

自動改札を抜けると、正面の伝言板に〈本日のメグちゃん　昭和橋の下流200メートル付近にいます〉と出ていた。文字の下に記された矢印に従って、駅を出て右に進む。

ほどなく、京浜第二運河の右岸に出た。あとは運河沿いに、海に向かって歩いていけばいい。

電車の窓から眺めるときにもお世辞にもきれいとは言えない水だったが、こうして間近に見ると、ほんとうにドブ同然の汚さだった。においも強い。ホームで嗅《か》いだのは、まだほんの上澄みだったのだと知った。饐《す》えたようなにおいがする。藻の青臭さもコンクリートの岸を這《は》い上ってくる。水面のあちこちに油の膜が張り、ペットボトルやロープの切れ端が無数に浮かぶなか、ガソリン臭さと黒ずんだ煙を吐き散らしながら、ドラム缶を甲板いっぱいに積んだ艀《はしけ》が運河をさかのぼる。

歩きながら、思わず何度か手の甲で鼻をふさいだ。古タイヤを岸壁に貼りつけた船着き場を黒っぽいものが——たぶんドブネズミが駆け抜けるのを見たときには、げっ、とうめいて顔をそむけた。

あとほんの数キロ都心のほうに行けば、最先端のデザインと設備で飾られた高層ビルが林立する湾岸地区になる。逆に西のほうに引き返しても、横浜の『みなとみらい』まではさほどの距離ではない。

よりによって、こんなところに来ちゃったのか、おまえは――。同情とも哀れみともつかず、メグちゃんのことを思う。もっときれいな海はいくらでもあるのになあ、と苦笑して首をひねる。
二、三分歩くと、先のほうにひとだかりが見えた。ニュースで紹介されていたより数はずっと少なかったが、そのぶん、マニアと言えばいいのか、熱烈なファンと呼ぶべきか、ただの「見物」ではすまないような熱気がたちこめている。脚立や双眼鏡を持ってきているひともいるし、カメラやビデオはもとより、スケッチブックを開いて絵筆を走らせているひとまでいる。
見物客の群れのいちばん端から、運河を覗《のぞ》き込んだ。メグちゃんは右岸――手前の船着き場に上がって、停留している艀の舳先《へさき》についたクッション代わりの古タイヤを鼻先でつついて遊んでいた。こっち側からそれを見ようとすれば、ちょっとバランスを崩すと運河に落ちてしまいそうなほどガードレールから身を乗り出さなければならない。いや、その前に、川面《かわも》と向き合っているだけで悪臭が鼻をつき、気分が悪くなってしまう。

まいったな、と上体を起こし、ガードレールから離れた。いままでは見物客を冷笑していただけだったが、なんだか急にぞっとしてきた。

なんで——？

一人ひとりに訊いて回りたい。

なんで、たかがアザラシ一頭に、こんなに夢中になれるんですか——？

見物客の中に、新井の姿はなかった。少しほっとした。こんなところにいる新井は、やはり見たくなかった。

数十メートル隔てた向こう岸にも、こっちと同じぐらいの見物客がいた。向こうのほうが楽な姿勢でメグちゃんを見ることができる。身を乗り出す必要がないので、一人ずつの顔も正面を向いていて……。

晴彦は駆けだした。

最初は上流の橋を目指し、こっちのほうが近いか、と下流の橋に向かって身をひるがえす。

背広の胸で、携帯電話が鳴った。

走りながらポケットから取り出し、フリップを開いた。

液晶画面の発信者表示は——〈新井〉。

「走らなくてもいいだろ」

笑い声で言われた。

足を止め、肩で息を継ぎながら向こう岸に目をやると、携帯電話を耳にあてた背広姿の新井が手を振っていた。

「工藤って、けっこう目がいいんだな。遠目が利くってのは、老眼ってことか？」

「……すぐにそっちに行くから」

「電話でいいだろ」

新井はゆっくりと見物客の人垣から離れ、「偶然か？」と訊いた。「工藤もメグちゃん見物に来たのか？」

「違う……おまえを探しに来たんだ。昨日、ニュースで見たんだ、昭和橋にいるのを」

晴彦は橋に向かって、また歩きだした。「そこで待っててくれ」と言うと、新井は、へへっと笑った。あまり感じのいい笑い方ではなかったが、踵《きびす》を返して逃げることはなく、晴彦を出迎えるように歩きだす。

「なあ、工藤。橋の真ん中で恋人同士が再会するってドラマ、昔なかったっけ？」

「あったかもしれないけど……忘れた」

「ちょうど真ん中で会おうぜ」

「なに言ってんだ」

「その橋から見たほうが面白いぞ、メグちゃん」

「……はあ？」

「もうすぐ、すごいことになるから。ちょっと離れたところから見物したほうがいいんだ」

「なんだよ、それ」

「メグちゃん、殺されるかもしれないぜ」

驚いて聞き返す前に、電話は切れた。

新井は電話をバッグにしまったあとも歩きつづける。こっちを見て笑っている。だが、距離がありすぎて、笑顔の奥にひそむ感情までは読み取れなかった。

先に橋に着いた新井は、言葉どおり、ちょうど真ん中のところで晴彦を待った。欄干に肘《ひじ》をついて「よお」と笑う声は、携帯電話で聞くときより疲れているように聞こえる。背広もネクタイもワイシャツも、靴もバッグも、ムースで整えた髪も、要するに身なりのすべてが、オフィスで働いているときとなにも変わっていないせい、だろうか。

晴彦は欄干に並んでもたれかかった。正面から向き合うより、このほうが話しやすい。

「無断欠勤になってるぞ、今日」

つっけんどんな口調のほうが、話す方も聞く方も楽だ、と思う。

「先週もぜんぜん連絡がなかったから、橋爪さんも困ってる」

新井は「だろうな」と軽く返して、「おまえも、だろ?」と訊いてきた。答えが最初からわかっている——胸の内を見透かしたような声だった。

「どうするんだ?　出向のこと」

「さあな……」

「悪いけど、さっき、家に電話したぞ。奥さん、なにも知らないんだろ。このままでいいのか?」

返事の代わりに新井は短く笑い、腕時計に目をやった。

「あと五分ぐらいだぞ、事件が起きるの。メグちゃんも大変だ、ほんと、死ぬかもしれないからな」

「……なんなんだよ、それ」

「メグちゃんは、どうなればいちばん幸せなんだと思う?」

話が呑《の》み込めない。あの日新井が話していたネットの掲示板のことと、関係があるのだろうか。それは豊田の弟が聞いた話と重なるのだろうか。

黙り込む晴彦にかまわず、新井は話をつづけた。

「あと一カ月もすれば、もう誰もメグちゃんのことなんて気にしなくなる。テレビの取材も来ないし、見物に来る奴らも減るしで、そのまま忘れられちゃうよ。そう思わないか?」

「……まあな」

「京浜線の車掌や駅員だって、メグちゃん情報を延々つづけるわけじゃないだろ?どこかでやめるんだよ。みんながメグちゃんに飽きた頃に、やめちゃうんだ。ひでえ話だろ、勝手にちやほやして、勝手に捨てていくんだ、こんなめちゃくちゃな話あるかよ」

だから――と、新井はつづけたのだ。

だから、メグちゃんにケリをつけなきゃいけないんだ。うめくように言ったのだ。

「……それで、殺すのか」

「殺そうとしてる連中もいるし、逃がしてやろうっていう奴らもいる。どっちにしても、ケリをつけたいんだよ、みんな。カッコいい言い方をするとさ、ラストシーンをつくってやりたいんだよな、メグちゃんに。ひと夏の癒《いや》しと感動をありがとう、って。もう役目は果たしたんだから、はい、そろそろ終わりにしましょう、って」

話を聞いているうちに、眉間《みけん》に皺《しわ》が寄ってきた。新井の言いたいことは、なんとなくわかる。だが、認めたくない。

「そっちのほうが身勝手じゃないのか？」

晴彦は口調を強めて言った。

「そうだよ」新井はあっさりと認めた。「身勝手だよ、俺たちはみんな。放っておいて忘れていくのも身勝手だし、ラストシーンを押しつけるのも身勝手だ。でも、そういうものだろ、人間なんて、みんな」

同じ身勝手だったら、せめてパッと盛り上げたほうがいいじゃないか――。

新井は笑いながら言って、また腕時計に目を落とした。

「今朝、ネットに予告が出てたんだ。午後一時ちょうど、メグちゃんに救いの手が差しのべられる……ほんとかどうか知らないけど、ほんとだったら面白いだろ」

午後一時までは、あと二分。

「……新井」

「うん？」

「ラストシーンって、そんなに必要なのか？」

「あったほうがいいだろ、そりゃ。なしくずしで忘れ去られるのって、つらいもんな。最後っ屁《ぺ》ぐらいかまさないと悔しいだろ」

話のどこまでがメグちゃんのことで、どこから自分自身のことに踏み込んでいるのか、まだ見定められない。

新井自身のラストシーン――答えは、午後一時まで残り三十秒のところで、わかった。

「俺、辞表出すからな」

「……本気か」

「俺が辞めたら、また人事も組み直しだ。おまえだって、またリストラ候補だよ」

晴彦を見たまなざしは、運河の川面に戻る。

「……一人じゃ死なねえぞ」

ぽつりとつぶやいた声の尻尾《しっぽ》は、見物客の悲鳴でかき消された。

ガードレールから身を乗り出した若い男が、ボウガンをかまえていた。

その夜のテレビニュースは、トップから三つめのコーナーでメグちゃん襲撃未遂事件を報じた。メグちゃんの背中をかすめて艀《はしけ》に刺さった矢が、もしも当たっていたなら、トップの扱いになっていたかもしれない。

見物客に取り押さえられた青年は、警察の調べに対し、「人間にひどい目に遭わされれば、メグちゃんも外の海に帰るだろうと思った」と動機を話している、という。

「冗談じゃないわよ」——佐和子は憤然として言った。皮肉屋で知られるニュースキャスターも同じ感想なのだろう、青年がフリーターだということを強調して伝え、「メグちゃんによけいなおせっかいをする暇があれば、自分の将来のことを考えて欲しいんですが」と冷ややかなオチをつけた。

「ほんとよね、なに考えてるんだろう、いまの若い子って」

佐和子は晴彦を振り向き、「ねえ?」と声をかけた。

晴彦は小さくうなずいて、すっと目をそらす。髪を茶色に染めたあの青年も、メグちゃんと一緒に、だらだらとつづく自分の毎日にラストシーンをつくりたかったのだろうか。

ボウガンの矢が逸《そ》れたのを確かめた新井は、「なんだよ、へたくそ」と吐き捨てるように言って、歩きだしたのだった。

呼び止めると、面倒くさそうに振り返って、「まだあるぞ」と言ったのだ。「これからメグちゃんにケリをつけようっていう奴、どんどん出てくるから」

「……ネットに出てたのか」

「ネットだけじゃないって。わかるんだ、俺には。いろんな奴らがいろんなふうにケリをつけたがってる。今日の事件がニュースに出たら、もう、あとは歯止めが利かないって」

そうかもしれない——いまになって思う。

東京湾に迷い込んだ珍しい動物をちやほやして、癒しだのオアシスだのともてはやすだけでは、もはや、すまない。俺たちはそこまで疲れて、もしかしたら病んでもいるのだろうか——とも、思う。

「明日は会社に来るのか」

「さあな……」

「ほんとに、辞表出すのか」

「困るか？」

「……会社も困るし、おまえだって困るだろ。再就職のあて、あるのか？」

「俺のことはどうでもいいんだよ。おまえだろ？　おまえが困るんだろう？」

挑むように訊かれて、かえって素直になれた。「ああ、困るよ」と本音をさらした。

「せっかく課長に残れたんだもんな」新井は嘲《あざけ》るように言う。「しがみつかなきゃな」言い訳やきれいごとは通じない。覚悟を決めて、きっぱりと言った。

「俺はおまえを蹴落《けお》としたわけじゃない。恨まれる筋合いはないし、おまえにも、そんなつまらないことで会社を辞めてほしくない」

新井は返しかけた言葉を呑み込み、まあいいや、というふうに息をついて、運河に目をやった。

岸ではボウガンの青年が取り押さえられ、遠くからパトカーのサイレンも聞こえてきたが、当のメグちゃんは素知らぬ顔で船着き場に横たわったままだった。

「わかってないんだろうな、あいつ、自分が殺されそうになったこと」

新井は言った。哀れみを込め、それでも、突き放した言い方ではなかった。

「海に帰りたくないのかなあ、ほんと、海のほうが広いのになあ……」

その言葉が最後になった。また歩きだす新井を、今度は晴彦も呼び止めなかった。

「ねえ」——佐和子の声で我に返った。

「どうしたの？　ぼーっとしちゃって」

なんでもない、と笑顔をつくって、視線をテレビに逃がした。

画面には、激しい風雨にさらされるシュロの並木が映し出されていた。台風が沖縄に接近している。予想進路図によれば、今週の後半には関東地方も台風の暴風圏に入りそうだった。これが今年最後の台風になるだろう。台風が去ったあとは秋がぐんと深まり、空が高くなり、我が家の近所の公園のイチョウも色づきはじめ、あちこちの学校で運動会が開かれて……メグちゃんは、たぶん、少しずつ忘れられていく。

4

新井の言葉は当たった。翌日——火曜日も、メグちゃんは騒動に巻き込まれた。急進的な自然保護団体のメンバーが、海からモーターボートで運河に入ってきて、メグちゃんを網に掛けようとしたのだ。

捕獲作戦は失敗に終わったものの、団体のリーダーは、メグちゃんを一刻も早くふるさとの海に帰してやるべきだとテレビカメラの前で訴え、われわれは今後もメグちゃんの捕獲作戦をつづける、と宣言した。

次の日——水曜日の朝には、メグちゃんのお気に入りの場所だった船着き場で、農薬を練り込んだ肉団子が発見された。夜のうちに何者かが道路から投げ込んだらしい。

さらに、木曜日の朝刊は、インターネットで『メグ殺し』のゲームが配布されて盛り上がっていることを伝えた。メグちゃんの目をエアガンで射貫《いぬ》けばボーナスポイントが与えられ、矢が十本メグちゃんに命中すれば、出血多量で死ぬルールなのだという。新聞はソフトの作成者を突き止めていた。京都在住の——だから実際にはメグちゃんを見たことのない、三十五歳の会社員。男は記者の取材に応《こた》えて「面白半分でやった。反省している」というコメントを出したが、ソフトをダウンロードした数百人が皆、面白半分だったのかどうかは、わからない。

その一方で、火曜日も、水曜日も、木曜日も、京浜線の車内では、メグちゃん情報がアナウンスされた。日替わりで車両の右側がざわめいたり、左側で携帯電話のカメラのシャッター音が聞こえたりする。

愛されているのか。

疎まれているのか。

晴彦は電車が昭和橋駅にさしかかると目をつぶるようになった。肩を後ろから叩《たた》かれ、「よお」と新井に声をかけられる、そんな光景を思い浮かべてはため息で打ち消す繰り返しだった。

新井はあいかわらず無断欠勤をつづけている。まだ辞表は届いていないが、時間切れだ。

週の前半は、橋爪部長に叱られどおしだった。「まだ新井くんと連絡取れないのか、なにやってるんだ」「家に押しかけたっていいんだから、早くしろ」「女房に言ってやりゃあいいんだ、おたくのダンナはリストラされたんですよ、って。それもできないで、なにが課長だ」「忘れるなよ、新井の一件をうまく解決することが、おまえの仕事なんだぞ」……。

部長は決して自分では電話をしない。メグちゃんの話を教えたとしても、「よし、じゃあ、俺が一度昭和橋まで行ってみるか」ということにはならないだろう。

木曜日、部長は初めて晴彦を怒鳴らなかった。代わりに、人事部から書類を取り寄せた。労働規定違反による解雇——今週中に手続きをとれば、月曜日には正式に決定する。それを承《う》けて、臨時の部長会議が月曜日の午後に開かれ、新たな出向要員が選び出される。会議室の予約ボードには、〈終了時間未定〉と書かれていた。

「最後だぞ」

夕方、部長は言った。「ほんとうに、これが最後の最後、もうあとがないんだぞ」

——解雇の書類を指差して、晴彦をにらむ。

「出向先にも、こっちが頭を下げて一週間延ばしてもらったんだ。わかるか？　本社が子会社に頭下げたんだぞ。異例だよ、あってはならないことなんだよ、それは。そこまで待ってやってるんだ、こっちの誠意を無にするなよ、なあ、新井を口説けよ、首根っこひっつかまえてでも会社に連れてこいよ。ぎりぎり明日中……最悪の場合なら、月曜の朝イチだったら、間に合うんだ。撤回できるんだよ、これを」

書類を人差し指で叩く。いらだたしげに膝《ひざ》を揺する。

「簡単にケツをまくられたら、こっちも困るんだ、いちおう俺が新井を選んだわけだし、工藤くんを課長にして、その課長がなすすべなしっていうんじゃ、ほんと、俺の判断ミスってことになっちゃうんだよなあ……」

やっと本音が出た。

滑稽《こっけい》なほどわかりやすい本音だった。

席に戻ると、窓ガラスが、ぶん、と音をたてた。強い風が吹きつけたのだ。ふだんのビル風とは違う。鉛色に曇った空ぜんたいが押し込んでくるような、厚みのある風だ。

「……台風、そろそろですね」

家の遠い女子社員が心配そうに言った。

台風は今朝、紀伊半島の南を通過した。速度を速め、真東だった進路をわずかに北寄りに変えて、明日の朝には関東地方に最接近する見通しだった。

「電車が止まっちゃうと、会社、休みになるんでしたっけ」「甘いこと言うなよ、今夜から泊まり込みに決まってるだろ」「マジですかぁ?」……。

若い連中の屈託のないおしゃべりを聞き流しながら、晴彦は窓の外に目をやった。

台風が来れば、水の流れがほとんどない運河も激しく波立つのだろうか。

メグちゃんは、どうする——。

コンクリートで固められた運河には、身をひそめる場所などない。

台風が去るまで、じっと耐えているのか。

それとも——。

最寄り駅から電話をかけると、奥さんが出た。名前を告げ、会社の同僚だと言い添えた。「いつも主人がお世話になっております」と応える奥さんの声の様子からすると、やはりまだ出向の話は聞かされていないようだった。

「昼間、仕事の書類を渡すのを忘れちゃったんですけど……新井さん、いますか」いるはずだ。すでに時刻は夜十時を回っている。もしもいなければ、終電まで駅で待つ覚悟もできている。

奥さんはあっさりと「はい、ちょっとお待ちくださーい」と言った。

ほっとした。だが、新井はみごとにふだんどおりの生活のお芝居をつづけているんだと思うと、胸の奥がうずくように痛む。

新井が電話に出た。

「書類忘れてたっけ？　俺」――お芝居は、途中でやめるわけにはいかない。

「大事な話だよ」と晴彦は言った。

「そっかぁ、紙焼きの写真があるのか。メールやファックスじゃ無理だよなあ、うん」

「家に行こうか」

「いや、じゃあ、俺、いまから駅まで行くよ」

「話をする時間はあるか？」

「オッケー、わかった、ついでに簡単に打ち合わせしとくか」

「改札のところにいるから」

「でも、しょうがねえなあ、もうパジャマに着替えちゃってたんだけどなあ……」

これ以上お芝居の声を聞きたくなくて、逃げるように電話を切った。

夜が更けるにつれて、風はさらに強くなってきた。雨はまだ本降りではないが、ときどき、びっくりするほど大きな雨粒が頬を打つ。

風にあおられて、架線がひゅんひゅんと音をたてる。すすり泣きの声に、似ていた。

駅前の小さな居酒屋でビールを飲みながら、橋爪部長の最後通牒《つうちょう》を伝えた。

「解雇はまずいな。懲戒になっちゃうと、退職金ヤバいもんなあ」

新井は他人事《ひとごと》のように言って、ナイロンパーカーのポケットから出した封筒をテーブルの上に置いた。表書きはなにもなかったが、中身の見当はつく。

「これ、部長に渡しといてくれよ。それでいいだろ」

「……ヤケになるなよ」

「じゃあ、代わってくれよ、俺と。出向して地方に飛ばされても、会社を辞めるよりましなんだろ？　おまえはそう思ってるんだろ？　だったら代わってくれ。おまえなら、向こうに行っても、うまくやっていけるだろ」

笑いながら言う。だから、逃げ道がない。

店にいる客は晴彦たちだけだった。あるじもさっさと店じまいをしたいのだろう、空いたテーブル席に椅子を載せ、カウンターの中のテレビを点《つ》けた。

歌番組のラスト近く。名前しか知らない人気グループが、気ぜわしくリズムを刻んだ歌を歌っていた。

「なあ……」

沈黙の重さに耐えられずに、とりあえず口を開くと、カウンターパンチのように「きれいごとだったら、やめろよ」と言われた。

「……そうじゃない。会社は俺を選んだんだ。だから俺は、本社に残る」

ほかにどう言えばいい——？

「違うよ」新井は静かに言った。「本社の課長に選ばれたんじゃなくて、リストラ社員に選ばれなかったっていうだけなんだ、おまえは。わかるか？　俺の言ってる意味。選ばれたのは俺なんだよ。リストラ社員として、俺が選ばれて、おまえは選ばれなかった。だから、俺はおまえの代わりにはなれない。でも、おまえはいつでも俺の代わりになっちゃうんだ。わかるだろう？　会社は課長を一人残したかったわけじゃなくて、リストラで出向する奴を一人つくりたかっただけなんだ」

発想の転換ってやつだよ、と息だけの声で付け加えた新井は、不意に唇をわななかせた。

「だからさ……勝ち負けじゃないんだ……先に負けるか、あとまわしで負けるか、だけなんだよ、俺たちは……俺は先に負けた、でも、工藤だっていつか負ける……来年かもしれないぞ、それ……」

晴彦は黙ってうなずいた。詭弁《きべん》や屁理屈《へりくつ》とは思わない。一生勝ちつづけることは、たぶんできない。いつかは負けてしまう。いまいる場所を追われ、あてがわれた場所以外に行くあてもなく、運河のような澱《よど》んだ日々を送る。

新井はジョッキに残ったビールを飲み干して、テーブルに置いたままだった封筒にゆっくりと手を伸ばした。

「一つだけ、あったんだ……再就職の可能性のあるところ……今日、向こうの専務に会ってきて……でも……やっぱり……不況だろ、俺ももう四十だろ……ちくしょう……」

封筒の封を、乱暴な手つきで切った。

中には、なにも入っていなかった。

「明日、会社に行くつもりだったんだ。部長に謝って、出向のこと、よろしくお願いします、って……」

顔を上げて、新井は言う。笑っていた。ひさしぶりに見る、陽気で楽天的な笑顔が——ゆがんだ。

「悔しいなあ……なあ、悔しいよなあ、こんな目に遭っても会社辞められないって……悔しいよなあ、それ……」

新井がテーブルに突っ伏してしまうと、入れ替わるように、「メグちゃん」という女性の声が聞こえた。

テレビだ。いつのまにか歌番組が終わって、ニュースの台風情報に変わっていた。台風の最接近する朝九時は、東京湾の満潮の時刻でもあった。気象庁が警戒を呼びかけている、という話につづけて、キャスターと女性アナウンサーが「メグちゃんのことも心配ですねえ……」と話していたのだった。

「メグちゃん、どうなるんだろうな」

晴彦がつぶやくと、新井はゆっくりと体を起こした。目が合った。新井は赤く染まった目を瞬《しばたた》いて、「逃げていなくなるの、あり、だよな」と言った。「最高のラストシーンだよな、そういうの」

晴彦は黙って、大きくうなずいた。

電車が止まったら困るから、と理由をつけて、ふだんより一時間早い各駅停車の電車に乗った。

途中で、約束どおり、新井も乗り込んできた。ゆうべ居酒屋から帰宅したあと、奥さんにすべてを打ち明けたのだという。

「ちょっとまだピンと来てないみたいで、かえって助かったけどな」さばさばした顔で言って、「まあ、週末にじっくり時間かけて話し合うしかないよな」とつづける。

俺だって明日は我が身だよ——と口に出すのはさすがにきれいごとすぎるから、腕組みをして、脚を組み替えた。

風雨は夜中よりさらに強まって、電車もスピードを落として走っていた。小さな駅の一つひとつに停まっても、乗客はなかなか増えていかない。この時間帯なら高校生がどっと乗り込むはずだが、臨時休校の学校も多いのかもしれない。

「俺、ガキの頃さ、台風が妙に好きだったんだ」新井が言った。「わくわくするんだよな、台風って」

「俺もだよ。なんだったんだろうな、あれ」

「台風のあとって、街の風景が、急にきれいに見えるのな。雨で洗われたっていうだけじゃなくて、なんか、生まれ変わったみたいな」

わかるよ、とうなずいた。

俺たちもそうなるといいな——と口に出すと、これもきれいごとになってしまうから、ドアの上に掲げられた路線図を見つめた。

昭和橋駅で電車を降りた。ホームを吹き抜ける風は、まっすぐに歩くのも難しいほどでナイロンパーカーの裾《すそ》が届かないズボンの膝下《ひざ》は、改札を出るまでにぐっしょり濡《ぬ》れてしまった。

さすがに今朝は、メグちゃん情報は出ていない。運河を上流にさかのぼって、目黒川まで戻ったとしたら、もう追いかけるすべはない。台風が去ったあと再び運河に戻って、人間の屈折した思いを浴びせられて、やがて忘れられて……。

「だいじょうぶだよ、工藤。メグちゃんは、もう、こんな街に未練なんてないって」

行こう、と新井は先に立って運河の下流に向かって歩きだした。

傘は使えない。パーカーのフードも両手で押さえていないとすぐにめくれてしまう。激しい雨は瞬く間に靴の中にも入り込み、歩くごとに、ぐちゅぐちゅ、と音がする。

運河に出た。

「おおおーっ！」と新井は大声をあげた。

「すっげーっ！」と晴彦も子どものように叫んだ。

運河は濁流になっていた。満潮と強い風に乗って、大きな波が絶え間なく海のほうから押し寄せる。

ひとの背丈ほどある木切れが波に揉《も》まれ、渦に巻き込まれて、斜めに割れた。

メグちゃんは——いない。

「逃げろよ！　メグちゃん！」

新井が下流に向かって叫ぶ。向かい風に負けて、声はほとんど自分に戻ってくる。

「おい、新井！　あそこ！」

晴彦は下流の、うんと先のほうを指差した。

黒いボールのようなものが波間に見え隠れしている。

メグちゃん——かもしれない。

いや、メグちゃんでいいんだ、と決めた。

「泳げーっ！　泳げーっ！」

新井は両手の手のひらをメガホンにして、声を裏返して叫ぶ。

水かさを増した運河は、轟々《ごうごう》と地響きのような音をたてて、波というより、もはや運河ぜんたいが揺らいでいる。

晴彦は空を見上げた。雨粒が痛い。目を開けていられない。もっと降れ、もっと吹け、と祈った。

「バンザーイ！　バンザーイ！　バンザーイ！」と新井は両手を振り上げる。

「なんだよ、それ！」

「よくわかんねーよ、俺にも！」

新井のバンザイはつづく。

黒いボール――メグちゃんの頭は少しずつ遠ざかっていく。海に向かう。澱んだ運河を捨てて、広い海へと帰っていく。

明日の朝、台風一過の空は、きっと目がちかちかするほど青く晴れ渡るだろう。

へなちょこ立志篇

1

日本中に「勝利《かっとし》」って名前の奴、何人いるんだろうな。

手持ちぶさたに携帯電話の待ち受け画面を切り替えながら、つまらないことをどうでもいい口調で訊《き》いたら、「そんなの知るわけねーだろ」と良夫《よしお》にそっけなく返された。

「千人ぐらいいるのかなあ。ちょっと少ないか。でも、カットシが一万人ってことはないよな、いくらなんでも……」

ひとりでぶつぶつ言って、まあ間をとって五千人でいいや、と決めた。五千人の「カットシ」くんのうち、何割が「マケトシ」というあだ名を付けられているのだろう。

もしも、万が一、そういう奴が日本中で俺一人だとしたら——？

「やっぱ、ひどい名前だよ」

マケトシはため息交じりに言った。携帯電話の画面はおみくじモードになって、出てきたのは〈末吉〉。もう一度ため息をつくと、窓から見える駅の改札口に明かりが灯《とも》った。長居にはうってつけのマックの二階席とはいえ、三時間も座っていると、さすがに心身ともに疲れてくる。

「なんつーかさ、メッセージ強すぎ？　っていうか古いだろ、価値観。勝ち負けにこだわるのって、親のセコさ、もろに出てるじゃん」

なあ、と言葉を預けたが、良夫は乗ってこなかった。いいかげんうんざりした顔と声で「うっせーなあ」と吐き捨てる。「だったら、おまえも負けにこだわるなっつーの」

「でもさあ……」

「昨日今日付いたあだ名じゃないんだろ？　ガキの頃からだろ？　だったら、もうあだ名じゃないんだよ、『マケトシ』はおまえの一部なの、うん、切り離せないの」

良夫は早口に言って、カップの底に残ったメロンシェイクをストローの音を派手にたてて啜《すす》った。

「ひとごとだと思って勝手なこと言うなよ」

「だって、ひとごとじゃん」

友だち甲斐《がい》のない奴だ。もともとチャラい性格だが、キメるときにはキメてくれるだろうと期待したのが甘かった。苦境に立たされたときに初めて友情の深さがわかる、というのは正しい。そして、そういうときに頼る相手がこんな奴しかいないというところが、マケトシの「負け」の所以《ゆえん》なのだろう、とも思う。

「で、どーすんのよ、マケトシ。マジに家に帰んないわけ？」

「帰んねーよ」

「なにおまえテンパってんのよ」あきれ顔で笑われた。「似合わねーっ」

確かに、それはそうなのだ。

「家出少年とか、マケトシのキャラじゃないっての」

良夫に言われなくても、本人がいちばん自覚している。家出が似合うような男ではない。なにをやらせても負けっぱなしの、さえない一人息子。昔、誰かに言われた――「おまえって、ドラえもんのいない、のび太みたいだよな」。十六年生きてきて、まだジャイアンやスネ夫に出くわさずにすんでいるのを幸せに思うしかない。そんな発想で生きることがなによりの不幸だという気もしないではないのだが。

だから——家を出る。

とりあえず、そこから始めてみる。

マケトシは姿勢をあらためて、さっきから何度も繰り返してきたことを、これで最後のつもりで言った。

「なあ、一晩だけでいいから泊めてくれよ」

「だから、だめだっつってんだろ。ウチも親がうるさいし、そんなことしたら共犯になっちゃうじゃんよ」

「俺が責任持つ！」

眉間《みけん》に力を込めた。

だが、最初きょとんとした顔だった良夫は、マケトシと目が合うとプッと吹きだした。「だってさ、おまえ……」脇腹を手で押さえ、笑いをこらえながら。「マケトシだろ？　マケトシのくせになにカッコつけてんだよ」

良夫の笑い声がはじけると同時に、頭の芯《しん》で光がまたたいた。

怒って腕まくりしたジャイアンの決まり文句がよみがえる。ジャイアンはいつだって、のび太にこう怒鳴るのだ——「なにーっ、のび太のくせに生意気だぞーっ！」。

良夫は目尻《めじり》に溜《た》まった涙を拭《ぬぐ》い、へらへらとゆるんだ頬で、窓の外を指さした。

「だったら、あそこのおっさんに弟子入りしたらいいじゃんよ」

駅前ロータリーの隅に、段ボールでつくった、小屋にも至らないねぐらがある。中年の男が寝泊まりしている。身なりはそれほど不潔ではないが、正真正銘のホームレスだ。

ふざけんな、とマケトシは言いかけて、ふと思い直した。それも、あり、かもしれない。

「でもさ、マケトシ、親が警察とかに届けたらヤバくない？」

「ケータイは生きてるから、親とは連絡とれるようにしとく」

「で、いつまで家出するんだよ」

「とりあえず、ケータイのバッテリーが切れるまで」

「つってさあ……ちょっと見せろよ」

良夫はマケトシの手から携帯電話を取って、機種を確かめた。画面のバッテリー表示は、■■■――フル充電。

「これだと楽勝で三百時間ぐらいもつぞ。二十四で割ったら何日だ？　十日以上だろ」

「……そんなに長いのかよ」

思わず本音が出た。予想より、という以前に、待ち受け時間の計算などしていなかった。

携帯電話をマケトシに返す良夫は、あきれたり笑ったりを通り越して、なにか哀しいものを見るような顔になっていた。

「やめたほうがいいんじゃねーの？　マジ」

自分でもそう思う。

だが、これで家に帰ってしまったら、マケトシはマケトシのままになってしまう。

「あのさ、女子からチラッと聞いたんだけど、マケトシ、おまえ稲本明日香《いなもとあすか》に……」

良夫の言葉をさえぎって、マケトシは勢いよく席を立った。

「俺、ホームレスに弟子入りするわ」

良夫にではなく、自分自身に宣言した。

2

すぐ横に立って「こんばんは」と声をかけても、返事はなかった。声が返ってこないだけでなく、反応そのものがない。中年男は広げた段ボール箱の上に膝《ひざ》を抱えて座ったまま、ただぼんやりと駅前の雑踏を見つめているだけだった。

やめろよ、マジ、おまえなに考えてんだよ、と良夫に肘《ひじ》を引かれながら、マケトシはもう一度、さっきよりも大きな声で言った。

「こんばんは！」

今度も、だめ。

中年男は、マケトシをうるさがるそぶりすら見せない。完璧《かんぺき》な無視。いつかテレビで観た永平寺の座禅みたいだ。

良夫に両手で肘を引っ張られ、マケトシは二、三歩あとずさった。だが、ここであきらめるわけにはいかない。良夫は生き証人だ。負けっぱなしのマケトシが、いままでの自分におさらばする、歴史的な瞬間の——。

良夫の手を振りほどいた。

よし、ここだ、と腹にグッと力を込めた。

「学校の奴らに言っとけよ、俺はもうマケトシじゃねーぞ、てめーらなめんなよ、って」

「だって……マケトシはマケトシじゃんよ」

「俺はカットシだっつーの！　勝利のカットシ！　ほんとは勝ちまくりの男なの！

帰れバカ野郎てめえ！」

マケトシは一声怒鳴って、その勢いのまま、中年男の隣に座り込んだ。アスファルトの路面は予想以上に冷たく、一瞬にして尻《しり》から首筋まで寒気が這《は》いのぼってきたが、うひゃあっと立ち上がってしまうと、またマケトシに逆戻りだ。こらえた。耐えた。根性を見せた。

啞然《あぜん》とする良夫に、余裕で笑ってやった。

「じゃあな」

「……マジかよ、おまえ」

もちろん、と大きくうなずいた。

良夫が立ち去ると、入れ替わるように携帯電話が鳴った。

「あんたなにやってんのよ、いまどこにいるの？　早く帰ってらっしゃい、晩ごはん食べちゃわないと片づかないんだから」

ノイズでひらべったくなった母親の声が、耳に流れ込む。

「リビングの手紙、読んだでしょ？」マケトシは言った。「俺の言いたいこと、ぜんぶそこに書いてあるから」

ゆうべ一晩がかりで推敲《すいこう》に推敲を重ねて、厳選一行——〈俺自身にＦＡ宣言します〉。万感の思いを込めた書き置きだった。

だが、マケトシは、あまりにも重大なことを忘れていた。

「それで、『ファ』ってなんなの？」

母親は、野球にまったく、これっぽっちも興味のないひとだったのだ。

「フリーエージェントだよ」

「なにそれ、バンドの名前？」

「……俺、自分を考え直したいわけ。もういいよ、とにかく家にはしばらく帰らないから。ケータイは生かしとくし、一日一回はぜったいに連絡入れるから、心配しないで」

「なに言ってんのよ、友だちのお宅に泊まるんだったら、向こうのお母さんにもご挨《あい》拶《さつ》しないといけないんだから。今夜はどこに泊めてもらうの？　橋本《はしもと》くんち？」

「ストリート」

「はあ？」

「とりあえず、俺、ホームレスになるから」

「ちょっとカツトシ、待ちなさい、あんたなに考えて……」

電話を切った。

一仕事やり遂げた満足感に大きく息をつくと、十六年間にわたって全身に染み込んでいたマケトシのエキスが、ほんの少しだけ薄らいだような気がした。

午後八時。路上に座り込んで、ちょうど一時間。さすがに腹が減った。尻も痛くなった。ホームレスの基本姿勢って、やっぱ寝ころがりーのだよなあ、とは思うのだが、まだその一線を踏み越える勇気が出ない。

隣の中年男に、ちらりと目をやった。ホームレスのひとたちは自由気ままに見えながら、じつは意外と縄張りにうるさいんだという話を聞いたことがあるが、中年男の様子に変化はなにもない。あいかわらず膝を抱いたまま、駅前の雑踏を見つめている。まるで置物のように……いや、もしかしたら逆に、このひとの目には世の中のすべてのものが置物に見えているのだろうか……。

少しぞっとして、とりあえず吉野家で牛丼でも食うかなあ、と逃げ腰半分に思った、そのときだった。

駅の改札口から出てきた二人組のサラリーマンが、ロータリーをきょろきょろと見まわし、おいあそこだ、と中年男を指さした。

二人は顔を見合わせ、なにごとか話してから、こっちに向かって歩きだした。足取りは重い。先頭を譲り合って、視線を落ち着きなくさまよわせ、できれば中年男に先に気づいてもらいたそうな雰囲気だったが、中年男はぴくりとも動かない。

やがて、二人組は中年男の前に立った。あっちに行けよ、と目配せされたマケトシだったが、もちろんこの場を立ち去る気はない。二人も、まあいいか、というふうに中年男に向き直って、交互に話しだした。

「高橋さん、ごぶさたしてます」「噂では聞いてたんですが、いや、そのお……」「気持ちは僕らにもわかりますよ、ひどいリストラだったと思いますよ、でもね……」

「じつはですね、部長が、このままじゃ怖くて駅を使えないって言ってるんですよ」

一呼吸おいて、右側の男が、すがるように言った。

「お願いしますよ、高橋さんの気持ちはわかりますが、こういう復讐《ふくしゅう》はやめてもらえませんか。部長、ほんとにまいってるんです」

その言葉とタイミングを合わせて、左側の男が白い封筒を中年男に差し出した。

だが、中年男の両手は膝を抱え込んだまま、封筒には伸びない。

二人組は困惑しきって、封筒をていねいなしぐさで中年男の前に置いた。

「持って帰れ」

初めて、中年男が口を開いた。

「おまえたちの指図は受けない。ここにいるのは、俺の自由だ」

低く、きっぱりとした声だった。

3

■■

二人組は、毎日夕方になると駅前に来た。ホームレスの中年男——高橋さんにその場から立ち去ってもらうよう頼み込み、無視されて、受け取ってもらえない白い封筒を路上に置いて帰っていく。

三日間で、マケトシの懐には十五万円の現金が入った。

四日目も——。

「いいんですか、マジ。なんか、こーゆー金ってヤバくないですか?」

とは言いながら、封筒の口を破る手つきはずいぶん慣れた。

「すごい、一気に倍増ですよ」

だが、高橋さんはなんの興味もない顔で、「どうでもいいよ」とつぶやくだけ。

「今日のも、俺が遣ってもいいんですか？」

「ああ、好きにしろ」

「でも、俺まだ初日の五万円も遣いきってないんですけど……」

そういうところが、マケトシ、なのだ。

遊び慣れた同級生なら一晩、いや、その気になれば二、三時間で財布を空っぽにできるのに、どうやって「パーッとやる」かがわからない。とりあえず野宿の予定を一泊三千五百円のカプセルホテルにグレードアップさせて、残飯漁《あさ》りを覚悟していた三度の食事も吉野家で生卵にお新香付きの特盛り牛丼のレベルをキープして、昼間は延長料金を気にせずマンガ喫茶で暇をつぶす。今日は、ユニクロで千九百八十円のナイロンパーカを買った。五万円は、まだ半分以上残っている。

「あの、高橋さん、晩飯とか食いに行かなくていいんですか？　金もたくさんあるんだし、なんか美味《うま》いものとか……」

「俺はいい」

「でも、飲まず食わずじゃないですか」

「いいんだ」

「あの、えーと、新しい『モーニング』あるんですけど、読みます？」

コンビニで買ったマンガ雑誌を高橋さんの横に置いたが、目も向けてくれない。いつものことだ。初日に、風に飛ばされそうになった封筒を拾って「これ、いいんですか？」「欲しけりゃやるよ」と言葉を交わして以来、会話と呼ぶほどの内容はないやりとりを、ぽつりぽつりとつづけてきた。

二人組の懇願する言葉から、高橋さんが毎日ここに座っている事情は察しがついた。自分をリストラした会社に対する復讐だった。人事部長がこの駅を使って通勤する。社宅が近くにあるので、リストラを免れた同僚も数多くこの駅を使っている。朝晩、嫌でも高橋さんの姿を見なければいけない。部長は、そのプレッシャーに困り果てているらしい。

だが——マケトシには納得がいかない。それだけで一日五万円を会社が払うか？ 今日から十万円だぞ？

まだ、なにか秘密がある、はずだ。

高橋さんは、少なくとも夕方から終電まではずっとここにいる。朝七時過ぎ、マケトシがカプセルホテルをチェックアウトして駅に戻ってくるときにも、いる。真夜中はどうしているのだろう。身なりはそれほどくたびれていないから、終電が終わると家に帰るのかもしれない。家はどこだ？ 家族は？ 一家の生計はどうなってる？

「あの……ちょっといいですか」

思いきって高橋さんに声をかけたとき、携帯電話が鳴った。なんだよバーカ、と舌打ちして、画面の発信者番号表示を確かめると、胸がドキッとした。

〈A・I〉――イニシアルで登録した、稲本明日香の携帯電話からだった。

「マケちゃん、家出しちゃったってマジ？」

「うっせえよ」

「それって、あたしのせい？」

「関係ねーよ」

「でも、クラスのみんなそう言ってるんだよね、なーんか、あたし、悪者？　みたいな」

実際、稲本明日香に振られなければ――それも、あいつが「相手マケトシだぜえ、ゲロ笑っちゃったあ」なんて友だちにべらべらしゃべったりしなければ、自分自身にFA宣言などしなかったかもしれない。たいした奴じゃないのは自分でもわかっていても、それでも、もう少しだけ自分のことを好きでいられたかも、しれない。

「ねえ、マケちゃん、いまどこにいるの？　ウチらみんなで見学に行こーかって盛り上がってるんだけどさあ……」

頭に来て、電話を切った。すぐさま〈A・I〉を着信拒否リストに登録した。だが、メモリーからは消去できない。そこが、とにかく、マケトシ――なのだ。

電話機をポケットにしまう前に、バッテリーを確認した。目盛りが一つ減って、■■。このペースだと、数日後には電池が切れるだろう。FA宣言のあとの展開は、まだ、なにも見えていない。

　まいっちゃうよなあ、とため息をついて、あらためて高橋さんに声をかけようとしたとき、あたりが急に暗くなった。

　街灯の明かりをふさいで、男が数人、高橋さんとマケトシを取り囲んだのだ。

　いつもの二人組とは違う、もっと体が大きくて、殺気がぷんぷんにおう、Vシネマに出てくるギャングのような……。

「ガキ、あっちに行ってろ」

　ドスの利いた低い声で言われ、さすがにビビって腰を浮かせたマケトシに、高橋さんが「おい、忘れ物だ」と『モーニング』を差し出した。

マケトシがそれを受け取ると、高橋さんは「おまえは座ってろ」と言って、ゆっくりと立ち上がった。

男たちは動揺したそぶりもなく、「じゃあ、まあ、話は向こうで……」と、ロータリーに停めた黒塗りのベンツに顎《あご》をしゃくった。
その瞬間——。
高橋さんはダッシュで逃げ出した。
男たちは一斉に追いかける。
ちょっと待てよ、マジにこれＶシネマじゃんよ……。
その場に残されたマケトシは、呆然《ぼうぜん》として『モーニング』を胸に抱いた。
堅い感触が、あった。
メモリーカードが一枚、挟まっていた。

4

その夜、高橋さんは駅前に帰ってこなかった。マケトシはためらいながらも終電に乗って隣の駅まで行き、いつものカプセルホテルに泊まった。後ろ髪を引かれる思いがないわけではなくても、「やっぱ、家出中に風邪ひくとヤバいもんなあ」となるところが、マケトシなのだ。
それでも、カプセルホテルの狭いベッドの中であおむけになって、片手に持ったメモリーカードを掲げ、頼りない軽さにため息をつきながら、思う。

これだけは守んなくちゃな……。

グッと力んで、Ｖシネマの映像に自分の姿を重ねてみた。Ｖシネマ定番の展開なら――組織の秘密とやらをひょんなことで預かった若者は、竹内力《たけうちりき》や清水宏次朗《しみずこうじろう》あたりの殺し屋に命を狙われるはめになる、はずだ。

マジかよ、おい、ヤバいじゃんよ。

思わず立ち上がりかけて、カプセルの天井に頭をぶつけてしまう。

若者のピンチに颯爽《さっそう》と現れて殺し屋をシメてくれるヒーロー・哀川翔《あいかわしょう》は、このドラマにキャスティングされているのか、いないのか。

おまえがなればいいんだよ――。

どこかから、ドスの利いた声が聞こえた。

ハネてみろよ、男だろう――。

哀川翔の声だった。

トレンチコートの襟を立てて、ハーフミラーのサングラスの陰に憂いをたたえた瞳《ひとみ》を隠し、リーゼントふうにまとめた前髪を一筋二筋垂らして、うつむきかげんに、いつだってぼそぼそと、哀川翔はしゃべるのだ。

マケトシはベッドに体を起こしたまま、しばらくじっと考え込んだ。

よし、と小さくつぶやいて立ち上がる。

天井にまた頭をぶつけた。

タクシーを飛ばして駅前に戻った。

やはり——高橋さんは、いない。

乗ってきたタクシーで、再びカプセルホテルに戻り、生まれて初めてかもしれない、まんじりともできずに夜を明かした。

朝が来る。電車が走りはじめ、駅に吸い込まれる通勤のサラリーマンが少しずつ増えてくる。マケトシはマクドナルドの二階からロータリーの様子をうかがった。高橋さんは、まだ帰ってきていない。ラッシュのピーク。ロータリーを歩く無数のサラリーマンの中に、高橋さんの会社の人事部長や同僚もいるはずだ。彼らは高橋さんの姿がないのを横目で確かめて、胸を撫《な》で下ろしているのだろうか、ほくそ笑んでいるのだろうか、それとも、ゆうべの男たちは一般社員の知らない影の組織の連中だったのだろうか……。

陽が高く昇り、サラリーマンの姿がほとんど見えなくなると、マケトシも電車に乗った。ネットカフェのパソコンにカードリーダーをつないで、データを読み込ませてみた。

パスワードがないとアウトかもな、と不安だったが、拍子抜けするほどあっさりと開いた。

名簿？　何十人と並んだ名前の横に、一人ずつ数字が付いている。ほとんどが三桁《けた》、たまに四桁の数字もある。そして、画面をスクロールしていくと、見覚えのある名前がいくつも目に飛び込んできた。

どれも、政治家。現職の大臣もいるし、コワモテで有名な与党の幹事長もいる。

なるほどな、とマケトシは店を出た。雑踏を歩きながら、いままでに観たVシネマやサスペンスドラマのありったけの記憶をたどった。

この展開なら、さっきの名簿はどう考えても金の送り先のリストだ。献金？　贈賄？　となれば、数字の単位は「万円」。四桁ということは、一千万円台。

おいおいマジかよ、話でけーよ、と思わず身がすくんだ。

哀川翔、哀川翔、俺は哀川翔……と必死に自分に言い聞かせたが、まなざしがいっぺんに気弱になってしまったのが自分でもわかる。

これじゃだめだ、俺はいつまでたってもマケトシのままだ。

とりあえず——サングラスを、買おう。

■

五日後の夜、マケトシは駅から吐き出されるサラリーマンの群れをマクドナルドの二階席でぼんやり眺めながら、掌《てのひら》の中で携帯電話を軽く握った。

家出も十日を過ぎた。電話をかけてくる母親は「ねえ、もういいでしょ、帰ってきなさいよ」とすがるように言う。学校の友だちからの「おまえ、意外と根性あるじゃん」というノリの電話も増えてきた。

そろそろマケトシからカットシに戻れるかな、という気もしないではない。高橋さんから貰った金もさすがに底をついてきたし、一日中ひとりぼっちで過ごしていると、友だちとのバカ話がむしょうに懐かしくなってくるし、なにより携帯電話のバッテリーはついに■が一つだけになった。FA宣言のすえ残留、ただし年俸大幅アップというところで手を打つのは、あり、だった。

だが、メモリーカードをどうする?

高橋さんはまだ帰ってこない。人相の悪い連中も姿を見せない。

昼間は喫茶店で何紙もの新聞をチェックしているが、たとえば東京湾で中年男の死体があがった、という記事は載っていない。政局もあいかわらず。名簿に名前のあった幹事長は、今日もコワモテの発言を繰り返している。

まいっちゃったよなあ……。

ため息をついて、携帯電話の待ち受け画面でおみくじを引くと、〈大吉〉だった。

つい頬がゆるみ、バーカ哀川翔がおみくじなんか引くかっての、と自分を笑って、携帯電話から窓の外になにげなく目を移した、そのときだった。

ロータリーの人込みの中に、高橋さんに金を届けていた二人組の姿を見つけた。首をひねりながら、こっちに向かって歩いてくる。

「ちょっとなんか食っていかねーか」というふうに一人が腹に手をやった。

「じゃあ、そこでいいだろ」ともう一人が顎をしゃくった先に——マケトシが、いる。

5

逃げられなかった。二人組はマケトシを見つけると、ラッキー！　とハイタッチを交わしそうな様子で、マケトシの逃げ道をふさぐ形でテーブルについた。

「助かったよ」と一人がテーブルに身を乗り出して、片割れは携帯電話で「いました、マックの二階です」と誰かに連絡をとった。

「探してたんだよ、ずっと」身を乗り出した男が言った。「君ね、高橋さんから預かったものあるだろ」

片割れも電話をすぐに切って、「それ、とっても大切なものなんだ」と話に合流してきた。「返してくれないかな」

背筋を冷たいものが走り、肩がきゅっとすぼまった。

ナイロンパーカのポケットの中で携帯電話が鳴った。着信音ではない。電池切れの警告アラーム——画面を見たら、バッテリー残量表示の■が点滅を始めていた。

タイムリミットが近い。自分自身にFA宣言した家出がもうすぐ終わる。「マケトシ」に残留するのか、「カットシ」になれたのか。答えはまだわからない。だが、それは、自分自身で決めなければならないのだと、思う。

身を乗り出していた男が、さらに顔をグッと寄せて言った。

「大切なものなんだよ、どこにあるんだ?」

「ってゆーか、高橋さん、どこなんスか、俺、高橋さんに預かったんスから」

二人組はそれを聞くと、また顔を見合わせて含み笑いを浮かべた。

消された——。埋められたのか、沈められたのか、それとも切り刻まれたのか——。

思わず息を呑《の》んだとき、また携帯電話の警告アラームが鳴った。断続音のテンポがさっきより速い。いよいよ、だ。

マケトシはコインロッカーの鍵《かぎ》をポケットから出して、テーブルに置いた。

「ここの駅の？」

「ええ……」

「この中にメモリーカードが入ってるわけ？」

黙ってうなずいたとき、階段を上ってくるひとに気づいた。

高橋さんだった。

驚く間もなく、マケトシは席を立ち、階段に向かってダッシュ。

「高橋さん！　逃げて！　メモリーは俺が持ってるから、早く逃げて！」

高橋さんは逃げなかった。

逃げる必要などなにもなかった。

二人組は「こっちです」と笑顔で高橋さんを席に迎えた。そこでようやく気づいた。

高橋さんは無精髭《ぶしょうひげ》こそあいかわらずだったが、ぼさぼさの髪を切り、スーツを着て、ビジネスバッグまで提げていたのだった。

「ぜんぶ、うまくいったから」

高橋さんの言葉に、二人組はガッツポーズをつくった。

クーデター成功——。高橋さんたち常務一派に理不尽なリストラを断行してきた副社長は、ほんの五分前、取締役会で解任された。副社長の懐刀だった人事部長がホームレスに身をやつした高橋さんのプレッシャーに負けて三日寝込んだ隙に、常務派が出金伝票を徹底的に洗い出したのが勝因だった、らしい。

マケトシは、あわてて二人組に訊《き》いた。

「だって、おじさんたち毎日、会社のお金持って、人事部長がビビってる、って……」

「俺たち、スパイ」

二人組は、ユニゾンで答えた。

「まあ、いきなり君が隣に座ってたから、監視役の可能性もあるからさ、なかなかストレートには情報交換できなかったんだけど」

「ちょっ、ちょっと待ってくださいよ、なんなんスか、それ……」

「でも、高橋さんは最後には君のことを信じて、ブラフのメモリーを預けたんだから。君の貢献も大きいんだよ」

「ブラフって？」

「ハッタリ。そういう極秘資料をこっちはつかんでるんだぞっていうのが効くんだよ」

「じゃあ、この中身って……」

メモリーカードをパーカのポケットから取り出して訊くと、隣の高橋さんがそれを受け取り、さらりと言った。

「なにも入ってなかっただろ?」——マケトシの腿《もも》をそっとつねって。

二人組が、またもやユニゾンで言う。

「じゃあ、君、コインロッカーの中は……」

「着替えでーす。使用済みパンツでーす」

高橋さんはおかしそうに笑って、メモリーカードを無造作にバッグにしまった。

「晩飯でもおごるよ」と高橋さんに言われ、二人組と別れて駅前商店街を並んで歩いた。

「高橋さん、あのメモリー、ほんとは……」

「ブラフのブラフ。騙《だま》し合いだからな、社内抗争なんて。あいつらだって、いつ寝返るかわからないんだし」

抗争だ。寝返りだ。う～ん、Ｖシネマ！

なんだか急に嬉《うれ》しくなって、マケトシは頰をゆるめた。

「でも、守ってくれてありがとう。嬉しかったよ。最近のガキもなかなかやるな、って」

照れて首を傾げたとき、また携帯電話の警告アラームが鳴った。間延びした断続音が、最後に長く尾を引いて、ぷつんと切れた。

家出期間、終了。

マケトシは足を止めた。振り返る高橋さんに、笑顔で「俺、帰ります」と言った。

「とーちゃんとか、かーちゃんとか、心配してると思うし」

最初は怪訝《けげん》そうだった高橋さんも、そうだな、というふうにうなずいた。

「家出、終わりなのか」

「ええ、なんつーか、期間限定品なんで」

「どうだった？」

ばっちりっス。Ｖサインをつくれた。

「もう『マケちゃん』じゃなくなったか？」

高橋さんは、にやりと笑って言った。

マケトシはまた首を傾げた。今度は照れ隠しではなかった。

「元気でな、カットシ」

そう言って歩きだした高橋さんの背中にぺこりと会釈して、マケトシも踵《きびす》を返した。

二、三歩助走をつけて、ひゃっほーっ、と小さくジャンプ。

Vシネマなら、ここでストップモーションなんだよなあ、なんて思いながら。

望郷波止場

1

　ホームに降り立つと、潮のにおいがぷんと鼻をついた。月に一度の楽しみでウインドサーフィンに通っている外房の海とは違う、「海岸」ではなく「港」の——澱《よど》んで、饐《す》えたような、なまぐさいにおいだ。

　小さな魚市場が駅のすぐ裏手にある。ホームからも、魚市場や干物工場の屋根の向こうに、夕陽を浴びてオレンジ色に染まった海が見える。ただし、魚市場の上の空を飛んでいるのは、カモメではなくカラスだった。

「なんか、ちょっとイメージと違ってますね……」

　一緒に電車に乗ってきた帝国レコードの林くんが顔をしかめた。

「港町って、こんなものじゃないの?」とわたしが軽くいなすと、「だって、これじゃ広がりませんよ、世界観が」と不満を隠さずに言う。「うわっ、世界観っ」と大げさな言い方をからかってやったら、「それがないとアレンジの方向性だって決められないんです」とまじめくさった答えが返ってきた。ディレクターとしての初仕事――電車の中で「ミリオンを狙ってますから」と真顔で言っていた。

改札に向かってホームを歩きながら、林くんは何度も首をひねり、「違うんだなあ、違うんだよなあ」と繰り返す。よっぽど勝手に、都合良く、イメージをふくらませていたのだろう。

「どんな港だと思ってたの？」

「いや、ですから、外国航路の客船とか貨物船とか……せめて遠洋漁業の基地とか、あと軍港でもいいんですよ、そういうのだったらドラマがあるでしょ、男と女の。でも、この雰囲気って、ただの漁港じゃないですか。港町っていうより漁村ですよ、はっきり言って」

「横浜や横須賀《よこすか》のつもりで来たわけ？」

甘いよなあ、こいつ、と笑った。

「じゃあ、トモさんはどうなんですか？　イメージふくらんでますか？」

「わたし？　わたしはだいじょうぶだよ、ないものねだりなんてしないもん。どんな条件だろうと、やれって言われたことはやる、それがプロなんだから」

えっへん、と胸を張った。林くんは二十五歳、わたしは二十六歳、一つ違いの歳の差を経験の差にして、めいっぱい強調しておきたかった。

でも、林くんは「トモさんはいいですよ、生放送ですから」と言い返す。「本番さえバッチリだったらOKでしょう？　こっちは作品を残すわけですよ、永遠に残るものなんですから、プレッシャーが違うんですよ」

「なに言ってんのよ、あんたの仕事は何度だってやり直しがきくじゃない。こっちは本番の一発勝負なんだから」

「だって、トモさんのは番組のワンコーナーじゃないですか。そこで視聴率がどうこうってものでもないでしょ。僕なんか、シングル盤ですよ。ピンで数字出さなきゃいけないんですよ。ほんと、もう、制作部長と廊下ですれ違うたびに胃が痛くなってるんですから」

なんて言うそばから、ぴくっと眉《まゆ》をひそめ、「あたたた……」と、みぞおちに手をあてる。

大学のマスコミ研究会の先輩後輩で出会って以来の、長い付き合いだ。林くんの融通の利かないきまじめさも、負けず嫌いの割りにはプレッシャーに弱いところも、よーく知っている。もちろん林くんも、物怖《ものお》じしない度胸だけで世間を渡っていこうとするわたしの性格はよーくわかっているはずで、そんな二人が下っ端とはいえ音楽とテレビにかかわっていられるというところが、マスコミの幅の広さというか、フトコロの深さというか、いいかげんなところなのだろう。

「で、トモさんのほうはどうですか？　なにかイメージ湧きました？」

「うん、まあね……」

都心から一時間半——海沿いに延びる京浜線の車窓から見る風景は、このあたりからビルがほとんどなくなり、空が広くなる。といって、旅情が感じられるほどではない。東京に出て行くのに覚悟が要るわけでもなく、朝六時台の上り電車で都心に通勤するサラリーマンもきっとたくさんいるはずの、中途半端な距離だ。

その中途半端さが逆に、いけるかも、とわたしを勇気づけてくれる。

林くんと同じように、わたしだって、この仕事に懸けている。デビュー作になる。中堅の番組制作会社に入社して四年目、ひたすら雑用に追われるアシスタント・ディレクターから、ついにディレクターに昇格した。

ほんの三分間のロケ中継とはいえ、夜九時からの特番だ。ここで局のプロデューサーをうならせるような仕事ができれば、次はスタジオで……コーナー演出から、番組丸ごとの演出へ……と、夢は大きく広がっていく。

「しっかりがんばってよ。せっかくロケで盛り上げても、スタジオの歌がだめだったら、ぜーんぶ台無しなんだからね」

「あ、そんなこと言うんですか。じゃあ逆のこと、僕も言っときます。完璧《かんぺき》な曲に仕上げますから、ロケでミスって、こっちの足を引っ張らないでくださいよ」

言ってくれるじゃん、と軽くにらむと、林くんもにらみ返してきて……タイミングを合わせたように、二人同時に噴き出した。

「ま、とにかく、がんばろうよ」

「ですね……がんばるしかないですもんね」

わたしたちは、一週間後、同じ番組の同じコーナーでデビューする。

『生うた！　昭和のドーナツ娘大集合』――番組名を聞いたときは、ピンと来なかった。

「ドーナツって知らないか？　知らないよなあ、おまえの世代だと」

番組の現場を取り仕切る島田《しまだ》プロデューサーが教えてくれた。ドーナツというのは、ドーナツ盤――シングルレコードのことだ。

「要するに一発屋だよ。ヒット曲一発で消えた歌手を集めて、懐メロ大会っていうか、ネタにして楽しみましょう、ってこと」

企画書には〈音楽バラエティ番組〉と銘打たれていた。

司会は傍若無人な毒舌で人気の漫才コンビが務め、スタジオゲストも、音楽よりもバラエティのほうに力点が置かれているのが一目瞭然《りょうぜん》の顔ぶれだった。

「まあ、生放送の面白さはあっても、企画としては手垢《てあか》がついてるわけで、実際俺もちょっと弱いかなって思ってたんだけど……」

本番まで十日をきった頃になって、局のプロデューサーからテコ入れの指示が出た。

「隠し玉を出せっていうんだよ。このテの番組にまだ出たことなくて、スタジオが一気に盛り上がるような奴。それで、俺も大あわてでレコード会社やプロダクションの知り合いをリサーチして……」

島田さんは、古いタレント名鑑のコピーを机に置いた。

羽衣天女――。

「はごろも・てんにょ、ですか?」

思わず、やだぁ、と笑ってしまった。いくら芸名とはいえ、大きく出るにもほどがある。

「違う違う、はごろも・あまめ、って読むんだ。聞いたことないか?」

「いえ……インパクトある名前だから、一度聞いたら忘れないと思うんですが……」

初耳だった。

でも、だからこそ、隠し玉にはぴったりなんだ、と島田さんは言う。

「若いゲストがドヒャーッて椅子からずっこけるぐらいじゃないとだめだからな、こういうのは。よし、いいよ、合格。やっぱり彼女で決まりだ」

コピーには簡単なプロフィールも載っていた。一九八一年に二十歳でデビュー——ということは、いまは四十三歳。

デビュー曲は——『望郷波止場』。

「演歌、ですか？」

「ああ、演歌、ド演歌だ」

「……はあ」

「そこそこヒットしたんだ。二年ぐらいかけてオリコンの五十位ぐらいまでは上がったのかな。二曲目は全然だめで、事務所ともいろいろあって、すぐに芸能界を引退しちゃったんだけどな。いまは生まれ故郷に帰って、飲み屋のママさんやってるらしい」

その羽衣天女を、テレビカメラの前に引っぱり出す。約二十年ぶりのテレビ出演になるという。

「歌えるんですか？」

「歌ってもらわなくちゃ困るんだ」

かつて所属していた帝国レコードが、羽衣天女の復活プロジェクトに乗ってきた。演歌やムード歌謡の老舗《しにせ》・帝国レコードは、音楽の時流に完全に乗りそこねてしまい、大物ベテラン歌手の移籍やリストラが相次いでいる。起死回生のヒット曲がどうしても欲しい。それも、なるべくローリスクの。

「とりあえず『望郷波止場』をリメイクして、番組で歌わせる。反響が大きかったら、即CD化するっていう目論見《もくろみ》らしい」

「再デビューさせるんですか?」

「いやあ、そこまでは考えてないだろ、帝国さんも。しょせん企画モノっていうか、イロモノだからな」

すでに仕込みは始まっている。ゲストで出演するお笑い芸人さんに、今日のお昼の生放送から、新ネタとして羽衣天女を使わせるのだという。ネタといっても、本ネタがすべって間が空いてしまったときに、いきなり「はごろも、てんにょーっ!」と絶叫して、両手に持った風呂敷《ふろしき》をひらひらとかざしながらスタジオを走りまわる……というだけ。

若いファンにはなにがなんだかさっぱりわからないはずで、ただ「はごろも、てんにょーっ！」のインパクトは強烈に残って、今度の番組でそのネタ元が明かされる、という段取りだった。

「羽衣天女は出演ＯＫしてるんですか？」

「その交渉をおまえがするんだよ」

「はあ？」

「こっちもラスト一週間でテンパってて、そこまで手が回らないんだ。トモに任せるから、とにかく引っぱり出してくれ。スタジオと生まれ故郷の二元中継で行くつもりだから、デカいぞ、仕事」

出演交渉に成功したあかつきには、生まれ故郷のロケを任せてくれる、という。

「帝国さんも若いディレクターを担当につけるって言ってるから、二人で交渉してくれ」

その相棒が、林くんだったというわけだ。

さっそく打ち合わせに出かけた帝国レコードのロビーで、林くんはわたしの顔を見るなり、嬉《うれ》しそうに言った。

「トモさん、すごいじゃないですか！　音楽番組で一緒にやれるなんて、なんか嘘みたいっスよ！」

林くんが手に持っていた企画書を見せてもらった。中身はわたしが渡されたものとほとんど変わらない。ただし、〈一発屋の歌手をネタにいじり倒して〉の一節は〈時代を彩ったヒット曲をたどって昭和の歌謡曲の魅力を再発見し〉に書き換えられ、番組のジャンルも〈音楽バラエティ番組〉から〈音楽&バラエティ番組〉に変わっていた。

わたしたちは——そういう世界の片隅の、下っ端で、なんとか生きている。

2

「お名前、昔の芸名でお呼びしてもいいでしょうか?」

遠慮がちに林くんが尋ねると、天女さんは「もう、呼ばれても自分のことだと思ってないからねえ、本人が」と他人事《ひとごと》のように笑った。吐き出す煙草の煙が、笑い声に合わせて揺らぐ。

「でも……お願いします、羽衣天女さんとしてお話をさせてください」

「そりゃあ、まあ、おたくの好きにすりゃいいんだけどさ、そんなの」

また笑う。煙草の煙がまた揺れる。

『望郷波止場』を歌っていた頃から二十年の歳月が流れ、天女さんの体の横幅は倍近く広がっていた。喉《のど》も荒れている。なにより、カウンターを挟んで向き合うたたずまいや「せっかく来たんだから一杯飲《や》っていきなさいよ」とビールの栓を抜く物腰は、どこから見ても、ただの飲み屋の女将さんだった。

もちろん――それは、わたしにとってはありがたい話だった。現役時代とのギャップがあればあるほど、番組は盛り上がる。

でも、林くんは違う。

林くんは真剣に、天女さんを歌手として再デビューさせようとしていた。

「いまでも、ときどきは歌っていらっしゃるんですか？」

「カラオケでね、お客さんとたまに行くんだけどね」

「どんな歌を歌ってます？」

「そんなの適当に好きなの歌ってるだけよ」

「『望郷波止場』、カラオケにも入ってますよね」

「うん、入ってるねえ、たまーに歌うけどねえ……もう歌詞も間違えちゃったりしてね」

「カラオケの『望郷波止場』って、原曲のキーでしたっけ」

「どうだろうねえ、同じだったかなあ、ちょっと低かったかなあ、よくわかんないよ、そんなのいちいち考えて歌ってないし」

「いかがでしょう、こちらでスタジオは用意しますから、一度しっかり歌ってみていただくわけには……」

だーめだめ、と天女さんは大げさに顔の前で手を振って、「もう引退したんだからさあ」と念を押すように言った。

はなからやる気がない。

開店前のお店で会ってくれたのも、「話ぐらいは聞かないと悪いしさ、あんたらも電話で門前払いってだけじゃ仕事にならないんだろう？」という程度のものだった。

林くんは早くも途方に暮れた顔になっていたけど、わたしの仕事は、ここから始まる。

アシスタント・ディレクター時代は、報道からドキュメンタリー、温泉グルメ紀行、バラエティまで、ありとあらゆるジャンルの番組の下働きをやらされた。シロウトさんの出演交渉も数多い。「テレビに出たがってる奴を出すのはアホでもできるんだ、出たくないって言う奴を引っぱり出すのが仕事なんだよ」――島田さんの言葉を胸に、殺人事件の被害者の遺族から、取材お断りの老舗《しにせ》寿司《すし》屋まで、次々に口説いてきた。

「いいか、トモ、基本はギブ・アンド・テイクなんだ。向こうが欲しがってるものを見抜いて、それをきっちり与えてやれば、話はなんとでも持っていけるんだからな」

島田さんの言葉は、身も蓋《ふた》もないけれど、たぶん真理だ。

天女さんは、ほんとうにテレビに出る気がないのなら、ぜーったいに電話で門前払いをすべきだった。会ってしまえば――それも相手の縄張りの中でだと、「ギブ・アンド・テイク」の「ギブ」のヒントは、いくらでも見つけられる。そして、それをどう切り札にしていけばいいかも。

ビール一杯で、とりあえずここはひきあげることにした。まだ粘ろうとする林くんに目配せして席を立たせ、「どうか前向きにご検討ください」と天女さんに挨拶《あいさつ》して、店の外に出た。

まだ六時前だけど、秋の陽はもう暮れ落ちて、潮風が肌寒かった。生ビールよりも熱燗《あつかん》の日本酒や焼酎《しょうちゅう》のお湯割りが恋しい季節だ。

でも、天女さんの店を出ても、駅と港に挟まれた飲み屋街にひと気はほとんどなかった。

古びて、くたびれて、時代の流れから取り残されて、パワーショベルの爪の一搔《ひとか》きであっさりと更地に戻ってしまいそうな一角――天女さんの店はその中でも特に小さくて、特に古びていて……。

「どうするんですか？　このまま帰っちゃうんですか？」

不服そうに言う林くんに「まさか」と含み笑いで返して、「ちょっと時間つぶそうよ」と駅の反対側にある、いまふうの居酒屋に入った。

あわてることはない。まだ夜は長い。今夜が空振りでも、明日、あさって……三日も通い詰めればなんとかなるだろう。

「だいじょうぶだよ、歌うよ、あのひと」

「……そうですかあ？」

「トモ先輩を信じなさいって」

レモンサワーのジョッキを林くんのウーロンハイのジョッキに軽くぶつけて、強引に乾杯した。

林くんはまじめなひとだ、とにかく。

『望郷波止場』のリメイクにあたって、演歌のスタンダードを片っ端から聴いて勉強したのだという。

「悪くないんですよ、演歌。なんかねー、日本人にとってのブルースやゴスペルって、結局ここにたどり着くんじゃないかな、って」

　またあんた大げさなこと言って……とあきれるわたしにかまわず、ほろ酔いに任せて一人でしゃべりつづける。

「ふるさと感っていうんですかね、それがあるんです、演歌には。まさに望郷なんです。ふるさとは遠きにありて思うもの、なんですよ。その意味では、演歌のテーマは距離なんです。ふるさとと都会との距離もそうだし、男と女の距離、過去と現在の距離、夢と現実の距離、妻と愛人の距離、義理と人情の距離……その距離が遠ければ遠いほど盛り上がるし、たとえ近くても山あり谷ありだったらドラマが生まれるんです。それが演歌の心なんですよ」

　学生時代から理屈っぽい奴だった。難解なジャズが好きで、就職先に帝国レコードを選んだのもジャズのレーベルを持っているからという理由だった。だから、単発の仕事とはいえ演歌のリメイクでデビューするのは不本意なはずで、それでも愚痴一つこぼさずに、張り切って、勉強して……。

「じゃあ、だめじゃん」

　そっけなく言ってやった。話の腰を、ボキッと音が聞こえそうなほどあっさり折ってやった。

「この町なんて、田舎っぽいけど東京まで通勤圏内じゃん。ロングシートの電車で上京できるんだよ。どこにドラマチックな距離があるわけ？」

「……べつに『望郷波止場』はご当地ソングってわけじゃないですから。あの歌詞は北国ですよ、北国の港町。函館《はこだて》とか小樽あたりのイメージでしょう」

「でも、スタジオとロケで二元中継しちゃうと、そこに意味が生まれちゃうの。『望郷波止場』の町になっちゃうの、ここが」

夕方のロケハンで、演出プランはだいたいできあがった。

旅情たっぷりのセンチメンタルな歌詞と、なんの情緒もない町の風景のギャップで笑わせよう——と決めた。

魚市場の近くの桟橋を望郷波止場に見立てて、羽衣天女の応援団の皆さんに集まってもらう。思いっきりベタに『がんばれ　天女！』なんて横断幕も持ってもらって、パプパプパプパプーッとチアホーンでも鳴らして、顔の知られていない新人のお笑い芸人さんを仕込んで、いきなり海に飛び込ませるってのも、ありだ。

カメラを振ると、魚市場の近くのローソンがパッと映って、その先にはイトーヨーカドーの看板もあって、うまくタイミングが合えばロングシートの通勤電車が画面を横切って……面白みのない街並みだからこそ、それをバックに天女さんが歌う『望郷波止場』の大仰な歌詞の間抜けさが際立つ、というわけだ。

林くんにはまだ話していない。

本番まで黙ったままのほうがいいだろうな、という気もする。

まじめな林くんは、ウーロンハイを二杯目からはただのウーロン茶に替えて、携帯電話でアレンジの打ち合わせを始めた。

どうやら、『望郷波止場』はボサノバにアレンジされるらしい。

番組としてはサンバやマンボにしてくれたほうが盛り上がるんだけど……なんて言うと、本気で怒りだすだろうな、こいつ。


そろそろいいかな、と夜八時過ぎに居酒屋を出て、また天女さんの店に向かった。

さっきはなかったライト入りの看板が、店の前に出ていた。店の名前は『夕子』――天女さんの本名からとったのだという。

痩《や》せた野良猫が、看板を守るように座っていた。寂れた飲み屋街に棲《す》みついているにふさわしい、貧相でかわいげのない猫だった。

わたしたちに気づくと、猫はこっちをジロッとにらんで起きあがり、ゆっくりとした足取りで路地の暗がりに姿を消した。

「トモさん……いまの猫、怖い目つきしてませんでした？」

「猫にビビってどーすんのよ」

「いや、でも、なんか……出演交渉だいじょうぶかな、って……」

「関係ないじゃん、そんなの」

引き戸を開ける前に、店内から漏れる音に耳をそばだてた。男のひとの笑い声や話し声が、二、三人ぶん。天女さんの「やだぁ」という上機嫌な声も聞こえた。

よし、狙いどおり——。

ガラガラと音をたてて戸を開けた。

「こんばんは！　失礼しまーす！」

元気いっぱいに店に入った。

「先ほどはどーも！　お台場テレビの岡本友子《おかもとともこ》と、帝国レコードの林和夫、懲りずにやって参りましたーっ！」

天女さんに聞かせたいわけじゃない。わたしや林くんの名前だって、どうでもいい。肝心なのは、「テレビ」と「レコード」をお客さんにアピールできるかどうか——。

カウンターで飲んでいた背広姿とセーター姿と作業服姿のおじさん三人組は、きょとんとした顔でわたしたちを振り向いてくれた。

「羽衣天女さんに、テレビ出演と『望郷波止場』レコーディングの交渉に、再び参りましたーっ！」

背広さんが三人組を代表して、「テレビって、なに？　どういうこと？」と訊《き》いてきた。

ここであわてて答えないのが、コツ。

「ええ、ちょっとママさんにお願い事がありまして……」と愛想笑いで天女さんに会釈をすると、セーターさんが天女さんに「どうしたの、それ、なんの話？」と勢い込んで訊いた。

「うん、なんかねえ、まいっちゃってるのよ、あたしもねえ……」

天女さんは眉をひそめ、でも、まんざらでもなさそうに、ちょっとつくりものめいたため息をついた。

奇襲、成功。

わたしは心の中で、うっしゃーっ、とガッツポーズをつくった。

「いいか、トモ」

まだアシスタント・ディレクターとしても駆け出しだった頃、島田さんに教えられた。

「一人で考えさせちゃだめなんだ、テレビに出るかどうかなんてのは。一人で迷うと、たいがい『やめとくか』になるんだ。まわりを巻き込め。まわりに煽《あお》らせて、その気にさせていくんだ。無責任に盛り上げてくれる連中がそばにいたら、なんとかなる」

『夕子』に居合わせた三人の客は、みごとにその役目を果たしてくれた。

わたしからいきさつを聞いた背広さんは「いい話じゃないか、すごいよ、うん、これ、いい話だよ」と力強くうなずき、セーターさんも「『望郷波止場』は名曲だもんなあ、あの頃よりいまのほうがウケるんじゃないか？」と言いだして、作業服さんも「なに悩んでるんだよ、出るしかないだろう、これは」と断言した。

作戦どおりだった。

夕方訪ねたとき、古いながらもこざっぱりとした店内の様子に、常連客がしっかりついているんだろうな、と見当をつけた。お客さんとカラオケに出かけて『望郷波止場』を歌うということは、店に来るみんなも、ママさんがかつて歌手だったと知っているはずだ。羽衣天女のファンだった縁で通うようになったひともいるかもしれない。そんな常連客がいつものようにお店に顔を出して、お酒も進んでいい気分になった頃を見計らって話を蒸し返せば、きっとみんなは盛り上がってくれるだろう……。自分で自分を「えらいっ」と褒めてあげたいぐらい、きれいに決まった。

それに、なにより――島田さんは、こんなことも教えてくれた。

「一度でも自分からテレビに出たことのある奴は、こっちがきっかけさえ与えてやれば、また出てくるんだ。出たがるんだ。昔どんなに嫌な目にあったり、もう懲り懲りだと思ってたとしても、根っこのところじゃテレビを嫌いになんかなってないんだ。嫌いになれないんだよ、テレビのことを。テレビっていうのは、それだけの力を持ってるんだ」

「きっかけって、たとえばどんなことなんですか？」とわたしは訊いた。

すると、島田さんは「いちばん簡単なのは、期待だよ」と言った。「あなたにテレビにもう一度出てほしい、テレビに映るあなたをもう一度見てみたい……そういう期待をぶつければ、たいがいの奴の心は動く」

「そういうものなんですか？」

「期待されて喜ばない奴なんて、どこにもいないだろ」

「はあ……」

「人間っていうのは、誰だって、期待に応《こた》えたいと思うものなんだよ」

それも――と、島田さんは付け加えた。

「いままで誰からも期待されなかった日々が長い奴ほどな」

三人のおじさんたちは、お酒を飲むピッチを急に上げて、口々に天女さんにテレビ出演を勧めた。

天女さんも「こんなにおばさんになっちゃったんだからさあ、昔のファンの夢を壊しちゃったらかわいそうじゃない？」なんて言いながら、少しずつ、確実に、気持ちは出演のほうへと傾いているようだった。

ここで、最後のひと押し——。

「そーですよ、皆さんのおっしゃるとおりですよね」と話に割って入ったわたしは、三人のおじさんたちを振り向いて、言った。

「皆さんだって、羽衣天女さんの復活、見てみたいですよね？『望郷波止場』をもう一度テレビで聴いてみたいですよね？」

背広さんが「そりゃそうだよ」とすかさず答え、セーターさんも「聴いてみたいよなあ、やっぱり……」としみじみつぶやき、作業服さんも「ファンのみんなも喜ぶと思うぜ」と言った。

最高の展開だ。三人の今夜の飲み代は、ぜーんぶ制作費から出そう、と決めた。

「どーですか？　天女さん。やっぱり、こうなったら皆さんのご期待に応えなきゃ」

「そうねえ……でもねえ……」

「ここにいる皆さんの声は、全国のファンの声なんです！」

「って言われても……歌えないわよ、昔みたいには……」

「だいじょうぶですっ、オトナの魅力でいきましょう！」

「衣装だってなにもないしねえ……」

「あ、そんなのご心配なくっ。もう、お台場テレビの最高のスタイリストつけさせていただきますから！」

「二十年ぶりだもんねえ……」

「二十年ぶりだからいいんですよ、ほんと、幻の歌姫、復活って感じで」

「歌姫だなんて、そんな、やめてよ、言われたほうが恥ずかしくなっちゃうじゃない」

しだいに、天女さんはもじもじしはじめた。はにかんだようにうつむきかげんになり、首をかしげて……なんというか、嘘みたいだけど、夕方にはただのおばさんだった天女さんが、少しずつ若返っていくように見えた。

林くんがカウンターから身を乗り出して、言った。

「たとえば、試しに一度だけでもスタジオに入って歌ってみるっていうのは、いかがでしょうか？　それでキーも合わせせられますし」

ナイス、林くん。

ここで大切なのは、具体的な一歩前進ってやつなんだ——。

天女さんも、「そうねえ……じゃあ、カラオケボックスのつもりで、一回だけ試してみようか」と言ってくれた。

「ぜひお願いします！」

林くんとわたしの声がユニゾンになった。

「あ、でも、アレよ……ディレクターさんが聴いてみて、使いものにならないようだったら言ってちょうだいよ……ほんと、なーんにもしてないんだから、いまは……」

「だいじょうぶです！」

またもや、声が揃った。

ここまで来れば、なんとかなる。スタジオでゴネるようなら島田さんになだめすかしてもらえばいいし、万が一の場合を考えて、今日はまだ予算枠の七割のギャラしか提示していない。残り三割の切り札をタイミングを見計らってどーんと出せば、「ギブ・アンド・テイク」の「ギブ」は効果倍増だ。

林くんは「じゃあ、すぐに明日のスタジオの手配しときます」と、携帯電話を手に店の外に出た。

「頼んだよ！」と威勢良く声をかけて林くんの背中を見送り、やーれやれ、と肩の力を抜いた——そのときだった。

「そうかあ……夕子ちゃんが二十年ぶりにテレビで歌うのかあ……」

カウンターに頬杖《ほおづえ》をついた作業服さんがつぶやいて、急に肩を震わせた。

「思いがけないプレゼントだよなあ、ほんと」とつづけたセーターさんも、ため息をついたあとで洟《はな》をすすった。

「去年だったらおばさんにも見せてやれたのになあ……」と、背広さんは最初から涙声になっていた。

「ちょっと、やめてよ、あんたたち、しんみりしないでよ。ほら、飲みな、お酒まだ入ってる？　泣かないで、ほら、なにやってんのよ……」

三人をにらむ天女さんの目から涙がこぼれ落ちると、おじさんたちもいっぺんに泣きだしてしまった。

3

都心に向かう最終電車に駆け込んだ。

がら空きのロングシートに腰を下ろし、肩で息をつきながら「まいっちゃったね、もう……」と笑うと、林くんはにこりともせずに「感動しましたよ」と言った。

「マジぃ？」

「だって、すごくいい話じゃないですか」

「そりゃあ、まあ、いいか悪いかって言えば、いい話だけどさあ……」

「幼なじみって、やっぱりいいですよね、ほんと、うらやましいです」

林くんは本気で感動していた。『夕子』でおじさんたちの話を聞いているときから、ずっと。

「僕ね、親父がサラリーマンで転勤族だったんですよ。だからガキの頃は転校ばっかりで、幼なじみなんて一人もいないんです。ふだんはべつに寂しいなんて思ってないんですけど、ああいう話を聞いちゃうと、やっぱり幼なじみっていいよなあ、って……

……」

「あんたの生い立ちなんて聞きたくないんですけど」

「トモさんはどうでした？　幼なじみでいまも付き合ってる友だちっているんですか？」

「いないいない、そんなの」

林くんの感動にお付き合いするのも面倒くさくなって、シートに横向きに座って、ぼんやりと窓の外を見つめた。こっち側は海に面しているはずだけど、街の灯が少なすぎて、どこから海なのかもよくわからない。東京湾の夜景が広がるまでには、あと小一時間はかかるだろう。

夕子ちゃんは、俺たちの同級生の中で最初に東京に出て行ったんだ——。

作業服さんが教えてくれた。

三人のおじさんたちと天女さんは、小学校に入学する前からの幼なじみだった。四人とも漁師の家に生まれ、親の代からの知り合いだったという。

男の子三人と女の子一人って、『ドラえもん』のジャイアンとスネ夫とのび太としずかちゃんみたいじゃないですか——。

シャレのつもりで言ったのに、おじさんたちはそろって、そんな軽い付き合いじゃないんだ、とわたしをにらみつけた。

まあ、実際、話としてはけっこう重い。

天女さんのお父さんは、小学一年生のときに海で亡くなった。船を新調したときの借金の返済に追われ、時化《しけ》の中を無理して漁に出て……遭難した。あとにはお母さんと天女さんと弟と妹と、生命保険で返しきれなかった船の借金が遺《のこ》された。

お母さんは、朝は魚市場で働き、昼間は干物工場で働き、夜は飲み屋街で働いた。

ほんとに、おばさんは苦労して夕子ちゃんを育てたんだ——。

背広さんの言葉を引き取って、セーターさんがつづけた。

だから、俺たちも夕子ちゃんを守ってやるって決めたんだよな——。

年上のいじめっ子は三人がかりでやっつけた。苦手な鉄棒は、さかあがりができるまで三人でコーチした。運動会の日、お母さんが仕事でお昼に来られないのを知った三人は、自分の親を放っておいて天女さんと四人でお弁当を食べて、遠足の日は、天女さんがおかずのほとんどないお弁当を友だちに笑われないようにと、三人は自分のお弁当から少しずつおかずを出し合って、天女さんのお弁当箱に足した。

ずっと、そうしてきたんだ、俺たち——。

小学校を卒業するまでな——。

夕子ちゃんにとってはありがた迷惑だったと思うんだけどさ、俺たち、決めたんだもんな、一生守ってやるんだ、って――。

天女さんが歌手になったのも、三人組のおかげだった。

天女さんは小さな頃から歌が好きだった。トロ箱をステージにして、お母さんのヘアブラシをマイクに、放っておけば一人で二十曲でも三十曲でも歌いつづけていたという。

六年生の夏、この町にテレビの『ちびっこのど自慢』のロケが来た。

俺が応募したんだ、と背広さんが言った。

俺が応募しろって言ったんだ、と作業服さんが言った。

俺がテレビ局の住所を調べたんだ、とセーターさんが言った。

天女さんは天地真理《あまちまり》を歌って、その週のチャンピオンになった。そして、才能に惚《ほ》れ込んだ演歌の大物作曲家に「内弟子にしたい」と言われて、小学校卒業と同時に上京。作曲家の家に住み込んでレッスンを受けながら中学校に通い、付き人の仕事をこなしつつ定時制高校に通って、生まれ故郷の港町には一度も帰らなかった。

お母さんにとっては口減らしみたいなものだったんだと思うわよ――。

天女さんが苦笑交じりに言うと、三人組は真顔で、そんなことはない、とたしなめた。

おばさんは夕子ちゃんのデビューをほんとに楽しみにしてたんだ――。

修業の邪魔になるからって、東京に行きたくても行かなかったんだ――。

魚市場の仕事が終わると、いつも桟橋の端まで行って、東京のほうをじいっと見てたんだからな――。

「ねえ、トモさん」

林くんに声をかけられた。寝たふりをして放っておこうかと思ったけど、一人で今夜のできごとをたどっていると気分がどんどん沈みそうなので、「なーに?」と振り向いた。

「あの三人……天女さんがデビューしたとき、嬉《うれ》しかったでしょうねって、あんたが目を潤ませてどうするの。

「そりゃ嬉しかったんじゃない?」――そっけなく返した。やっぱり寝たふりをしたほうがよかったな。

「給料ほとんどはたいてレコード買いまくったって言ってましたもんね」

「うん、言ってた言ってた」

「嬉しかっただろうなあ、ほんと……」

「ま、そのぶん、二曲目から鳴かず飛ばずだったときはキツかったと思うけどね」

「……なんでそんな意地悪な言い方するんですか」

「ごめんね、性格なの」

「でも……夢が破れてもちゃんと帰る場所があって、温かく迎えてくれる幼なじみがいるって、やっぱりいいですよね、ほんと、ふるさとや幼なじみっていいなあ……」

湊をするな、っての。

「トモさん、僕、絶対にこのプロジェクト成功させますからね。羽衣天女、奇跡の復活、なにがなんでも、やってみせますからね」

一人で勝手にプロジェクトにしてるよ、こいつ……。

「だから」

林くんは口調を少し強め、わたしをキッと見つめて言った。

「バラエティのパートで盛り上げるのはけっこうですけど、音楽の邪魔はしないでください。じっくりと聴かせるコーナーにしたいんです」

「……わかってるってば」

「さっきスタジオの予約入れるとき、外に出たでしょ、僕。そのとき、また看板の前に猫がいたんですよ。じーっと僕を見てるんです。裏切らないでよ、裏切らないでよ、って脅すみたいに。なんか、それ、去年亡くなったっていうお母さんに言われてるような気がしちゃって」

「あのねー、あんたねー……」

「でも、ほんと、あの三人組のためにも最高のコーナーにしなきゃ申し訳ないですよ」

林くんは、自分自身に言い聞かせるように言って、やっとわたしから目をそらした。

わたしはまた窓の外を見つめ、ガラスに映り込む自分の顔と向き合って、そっとため息をついた。

天女さんと三人組は、「音楽番組」に出演するんだと思い込んでいる。

林くんは「音楽&バラエティ番組」のつもりで燃えている。

おそらく、明日には「音楽バラエティ番組」の台本の第一稿があがってくるはずだ。

4

「いい感じで来てるんだよ」

島田さんはノートパソコンの画面をスクロールさせながら、満足そうに言った。お笑い系の掲示板で、「はごろも、てんにょーっ！」のネタが話題になっているらしい。

「これでハゴロモおばちゃんをお迎えする準備は万端整ったってわけだ」

「はい……」

「歌のほうはどうだ？　あんまり戻させるなよ、昔の勘。こう、ちょっとサビのあたりでモゲちゃうってのがおいしいんだからな、番組的には」

それは、わたしにもわかる。

でも、林くんは本気だ。自腹でボイストレーニングの先生まで呼んで、天女さんの復活に懸けている。最初は尻込《しりご》みしていた天女さんもしだいに乗ってきて、禁煙は今日で三日目に入った。

「で、リメイクのアレンジはやっぱりボサノバでいくのか？」

「ええ……ディレクターが、どうしてもここだけは譲れないって言ってまして」

島田さんは舌打ちして「自意識出させるなっての、若造に」と吐き捨て、パソコンの画面を切り替えて、天女さんのコーナーのスタジオセットの図面を表示させた。

「どうだよ、これ、『夜のヒットスタジオ』か『ミュージックフェア』だぞ」

確かに、ごてごてした飾り付けはなにもない。セットの真ん中に置いた円椅子に天女さんが座り、後ろの椅子にギタリストが座って、オケと生ギターをバックに『望郷波止場』を歌う。ここまでなら――「音楽番組」だ。

でも、島田さんはセットの背景に大きなスクリーンを用意させていた。そこに現役時代の天女さんの映像を映し出す。二十歳の天女さんと、体の横幅が倍になったいまの天女さんが同時に画面に登場することで――「音楽バラエティ番組」になる。

「時の流れがいかに残酷かってところを見てもらおうじゃないの、視聴者の皆さんに。素材そのもので勝負できるなんて、ハゴロモおばちゃん、うらやましいよ、ほんと。他のゲストに恨まれちゃっても知らないぜ」

それはそうなのだ。他のゲストの扱いはもっとひどい。同じ「一発屋」でも大手の事務所に所属している歌手には手加減するものの、芸能界を引退している元歌手は、容赦なくいびられ、笑われる。

間奏のときに上から金ダライが落ちてきたり、バックダンサーをボディビルダーの集団がつとめたり、若い頃と同じミニスカートのステージ衣装を着せられて、オタクのカメラ小僧にパンチラを狙われたり、二人一組で回り舞台に乗せられて持ち歌を交互に歌わせられたり……。

それでも歌を止めることはできない。歌いつづけるしかない。「途中で歌が止まってしまうと、その時点でコーナーが終わって退場」というルールを、島田さんが三日前の会議で新たに決めた。ゲストがみんな途中で退場になったら時間が余ってしまう

——と心配する局のプロデューサーを説得したのも島田さんだった。

「歌いますよ、奴らは。なんだかんだ言ってもプロだったんですから、根性は据わってます。ちょっとやそっとのことで生放送の画面から消えるような真似はしません。だいじょうぶです、安心して任せてください」

バラエティ一筋に二十年近くやってきた島田さんは、悪趣味だのいじめを助長するだのと批判されながらも数字をきっちり挙げる、テレビのプロだ。

プロだからこそ、かつてプロだった一発屋の歌手のことを、スタッフの誰よりも信じているのかもしれない。

パソコンの画面をしばらく見つめていた島田さんは、ふとなにか思いついた顔になって携帯電話を手に取った。

電話をかけた先は、美術部のチーフだった。

「いつも突然で悪いんだけどさ、ハゴロモおばちゃんのセット、おばちゃんの正面にでっかい鏡を置けないかな。できれば凹面鏡だっけ、凸面鏡だっけ、体が思いっきりデブに見えるやつがいいんだ……うん、そうなんだ、ガマの油があるだろ、自分の顔見て、たらーり、たらーり、っての。あれをやってみたくてさ……悪いけど、ちょっと頼むわ」

電話を切ったあと、島田さんは得意そうに「面白そうだろ」と笑った。

「じゃあ、セットが変わったこと、すぐに本人に……」

「バカ、黙ってなきゃつまんねえだろ、生放送の意味ねえだろ。ボサノバをシブくキメるつもりで椅子に座ったら、いきなり自分のおデブな全身が目の前にあるんだ。そのときのぎょえーって顔、そこを撮らなきゃだめなんだ。歌いながら、自分でも見てられなくてさ、目があっちこっち泳ぐだろ、情けなくなってくるだろ、その顔なんだよ、それが笑えるんだから」

島田さんは、プロだ。

プロだからこそ——番組を盛り上げるためなら、ひとの心も平気で踏みにじる。

背広さんから「ちょっと話があるんだけど」と電話がかかってきたのは、本番前日の夕方だった。こわばった、低い声だった。感情を必死に抑えているようにも聞こえた。

「すぐにそっちにおうかがいします」と言って、京浜線の電車に飛び乗った。

電話ではすませられない。

覚悟は——できていた。

明日の番組がどんなジャンルのものかはテレビ情報誌を読めばすぐにわかるし、昨日からは番組の告知CMも流れている。今日のお昼の情報番組では、「はごろも、てんにょーっ！」のネタが客席の爆笑を呼んでいた。

謝れと言われれば、いくらでも謝る。土下座しろと言うのなら、そのとおりにする。こんな発想をしてしまう自分が嫌だけど、場合によっては「迷惑料」の名目でいくらかのお金を支払う用意だって、ある。

でも、とにかく明日の本番だけは、三人組にもロケ中継に出てもらわないと困る。絶対に出てもらう。わたしだって、駆け出しの端くれの半人前とはいえ、プロなのだ。

駅前の喫茶店で待っていた背広さんは、やはり憮然《ぶぜん》とした顔をしていた。

気持ちは、わかる。

すごく、すごく、よく、わかる。

でも――わたしの立場だって、わかってほしい。身勝手だとは思うけど。

わたしが席についてコーヒーを頼むと、それを待ちかねていたように、「どういうことなんだ」と切り口上で言われた。「音楽番組じゃなかったのか」

「あの……音楽もあるんです、音楽とバラエティの融合といいますか……」

「夕子ちゃんは歌えるのか」

「はい、それはもう、絶対に。このまえ一緒にお目にかかったディレクターが責任を持って……今夜も東京にホテルとって、泊まり込みで最後の……」

「店にいるよ」

「え？」

「東京から、さっき帰ってきたんだ」

「……うそ」

「林って奴も一緒だ。もう、明日の番組は出ないって言ってる」

『夕子』には、天女さんと林くん、それにセーターさんと作業服さんがいる。林くんはべろんべろんに酔っぱらってるらしい。泣きながら、天女さんに「すみません、すみません」と謝っているらしい。

それを聞いて、頭にカッと血が上った。

申し訳なさではない。

怒り――だった。

「すみません、ちょっと行ってきます！」

背広さんに頭を下げるのと同時に席を立ち、駆け出した。「おい、待てよ！」とあわてて呼び止める背広さんにかまわず、店を出て、飲み屋街に向かった。

ふざけんな、ふざけんな、ふざけんな……。林くんの顔を見た瞬間、殴っちゃうだろうな、と思った。そんなのあたりまえじゃん、とも。

路地に出た『夕子』の看板が見えた。

全力疾走の勢いのまま引き戸を開け、中に駆け込んで、林くんの胸ぐらをつかんで……の、つもりだったのに。

引き戸に手をかける寸前、わたしの体はビクッと棒立ちになってしまった。

看板の下に、あの野良猫がうずくまっていたから。わたしをじっと見つめていたから。

そして、毛を逆立てて、ひと声低くうなったあと、パッと身をひるがえして路地の奥の闇へと消えていったから。

入れ替わるように、息をはずませた背広さんが姿を見せた。

わたしは引き戸を開ける。

林くんへの怒りは、消えていた。

カウンターの中にいた天女さんは、わたしを見ても怒らなかった。「そりゃあね、ただ歌わせてくれるわけはないよね。そこまで世の中甘くないもんね」と力の抜けた苦笑いを浮かべて、煙草の煙をふうっと宙に浮かべるように吐き出した。

セーターさんも作業服さんも、それから背広さんも、なにか言いたそうな顔をわたしに向け、でも黙って座っていた。

林くんはカウンターに突っ伏していた。わたしが入ってきても体を起こさず、顔を腕に埋《うず》めたまま、「だましてたんですか……」と涙の名残のある声で言った。

言い訳はしたくない。意地でも。

「ごめんなさい」

林くんにではなく、天女さんと三人組に謝った。「でも、そういう番組なんです、ウチの番組」――三人組の顔がピクッとこわばったけど、わたしは目をそらさなかった。

「まいっちゃうんだよ、ほんと、そういう番組なんだもんねえ。プロデューサーさんが昼間スタジオに来てね、なんて言ったと思う?」

天女さんは、たぶんわざと、のんびりした口調で言って、笑いながらつづけた。

「わたしなんかおばちゃんだから全然知らなかったんだけど、いま、『はごろも、てんにょーっ!』ってのが若いひとに流行《はや》ってるんだってね。なんか、それ、これからブレイクしそうなんで、番組の中で一気にアピールしたいんだって」

歌の前のトークのときに、「はごろも、てんにょーっ！」をお笑い芸人さんと一緒にやってほしい。歌が終わったあとも、「はごろも、てんにょーっ！」と風呂敷をひらひらさせながら、スタジオからハケてほしい。

「だから振り付けを本番までに覚えといてほしいって言われてね……そのかわり、それをきっちりやれば、歌のときにはちょっかい出さないから、って」

島田さんなら、言いかねない。

「そうしたら、林ちゃん、『ちょっかい』ってところで急にキレちゃって、プロデューサーさんに食ってかかって……もう、びっくりしちゃったよ、こっちは」

林くんなら、キレるよね、わかる。

ため息を呑《の》み込んでうなずくと、それまで黙っていた背広さんが三人組を代表するように口を開いた。

「夕子ちゃんをコケにするつもりだったのか、あんたら。なあ、いくらなんでも、それ、ひどいんじゃないか？」

「……仕事を、お願いしたんです」

「カネさえ払えばなにやってもいいってもんじゃないだろ」

「……わかってます」

「夕子ちゃんはな、おまえらは笑うかもしれないけどな、俺たち三人の夢なんだよ。ガキの頃からずうっと夢だったし、いまでもそうだよ、夢なんだよ」

天女さんは照れくさそうに「なーに言ってんの」と混ぜ返そうとしたけど、背広さんはとりあわず、そこからは幼なじみの仲間二人の思いを背負ったように、ゆっくりとした口調で、「夢」の日々を振り返っていった。

小学一年生——父親を亡くした意味がよくわからず、ただ寂しさだけが、その少女の胸にあった。いつも、しくしく泣いていた。幼なじみの遊び場だった港の桟橋に、夕暮れ時に一人でぽつんとたたずんで、少女はいつも泣いていた。少年たちは少女に笑ってほしかった。少女を笑わせるために、あれこれ話しかけたり、お菓子を差し出したり、おどけたことをしてみたり……少女が頰に涙の跡を残したまま笑うと、少年たちは入れ替わりに、笑っているのに涙が出そうになってしまう。

小学六年生——『ちびっこのど自慢』のステージに立った少女は、きらきら輝いていた。優勝のトロフィーを受け取ったときの少女の笑顔を、少年たちはまぶしくて見ていられなかった。少女はトロフィーを少年たちにも抱かせてくれた。三人の少年は順繰りに、金色のトロフィーに映り込む少女の笑顔を抱き締める。

中学一年生――少女は、一人で東京に旅立った。ふるさとに残った少年たちは、ときどき桟橋に集まって少女の話をした。もう少女には会えないだろうと三人とも覚悟していた。今度会うときは、少女はテレビの画面の中にいる。スポットライトを浴びて、とびきりの笑みを浮かべている。そう願って、祈って、何年もの時が流れていった。

二十歳――少女はテレビに出て歌うようになった。青年になった三人は、それぞれ就職して、それぞれの悩みや挫折《ざせつ》を嚙《か》みしめながら、少女の歌を聴き、少女の笑顔を見つめた。少女はもう手が届かないほど遠くに行ってしまったけれど、触れることのできない笑顔はいつだって三人の胸の中にあった。

二十三歳――少女をテレビで見かけることがしだいに減った。三人は職を変えたり、借金を背負ったり、つまらない色恋沙汰《いろこいざた》を起こしたりした。

二十五歳――三人のうちの一人が離婚した。一人がまた職を変えた。残る一人も交通事故を起こして長い間入院するはめになった。ひっそりと芸能界を引退した少女の居場所は、母親でさえ知らなかった。

三十歳――三人のうちの二人目も離婚した。一人はさらにまた職を変えて、残る一人は独身のまま、脳梗塞《のうこうそく》で倒れた父親の介護をつづけた。少女の行方は、誰にもわからなかった。
三十五歳――少女が、ふるさとに帰ってきた。駅の裏に小さな飲み屋を開いた。昔の面影がないぐらいでっぷりと太って、いつもくたびれた目をしていた少女のもとに、三人は足繁《あししげ》く通うようになった。ふるさとを離れていた日々になにがあったのか、どんな暮らしをしていたのか、三人は誰も尋ねなかった。ただ、酒に酔って冗談をとばし、おどけて、たあいのないおしゃべりをつづけた。やがて、少女はまた笑顔を取り戻した。もう中年になった少年たちは、昔と同じように、少女の笑顔を見ると嬉しくなって、入れ替わりに、瞼《まぶた》の裏が熱くなってしまう……。

「結局、なんだったんだろうな、俺たちの関係って」

背広さんは涙声で言った。セーターさんも作業服さんも涙ぐんでいた。話の途中で干物を焼きはじめた天女さんも、「煙いねえ、煙いねえ」と目をしょぼつかせどおしだった。

「男と女の惚《ほ》れたはれたじゃないんだよなあ……そんなのじゃなくて……なんか俺らみんな、人生うまくいってなくてさ……でも、夕子ちゃんが笑って、歌って、それ見てると、なんかさあ、なんなんだろうなあ……」

あとはもう、涙で言葉にはならなかった。

カウンターに突っ伏したままの林くんの肩も、小刻みに震えていた。

でも、わたしは、泣かない。

ここで一緒に泣くわけにはいかない。

天女さん——と言いかけて、いまの彼女にいちばんふさわしい呼び方に直した。

「夕子さん、番組に出てください」

夕子さんの返事はなかった。グリルの空気穴から漏れる煙が焦げくさくなった。

「お願いします、出てください……番組に出て、風呂敷《ふろしき》ひらひら、やってください」

林くんが顔を上げて「やめろよ！　トモさん！　いいかげんにしろよ！」と怒鳴った。

「うっさい！」

わたしだって——プロなんだ。駆け出しの、端くれの、半人前だけど。

「風呂敷ひらひらすればいいじゃん！　そうすれば最後までちゃんと歌えるんだから！　せっかくリメイクしたんだから、最後まで歌えるんだから、それ、やるしかないじゃん！　甘えたことばっかり言わないでよ！」

林くんを一喝したあとは、めそめそ泣いている三人組に向き直った。

「夕子さんの歌、聴きたくないんですか！　テレビに映って笑ってる夕子さん、見たくないんですか！」

「……逆だろ」背広さんが真っ赤な目でにらみつける。「夕子ちゃんが笑うんじゃなくて、みんなから笑われるんだぞ。そんなの、見たくないんだよ……」

「バカ！」

おじさんたち、まとめて叱りつけた。

「あんたたちが夕子さんを笑わせてあげればいいんじゃん！　子どもの頃から得意だったんでしょ！」

「……笑わせる、って？」

「そんなの、みんなで考えればいいの！」

自分でもわけがわからない。

ただ、これで終わりになんかしたくなかった。

夕子さんのコーナーをつぶすわけにはいかないし、ロケをつぶすわけにもいかない。プロだからそう思うのか、そうじゃないところで思っているのか、もう、ほんとうに、わけがわからないんだけど。

「そんな大声出さないでよ、ね、警察呼ばれちゃうよ……」

夕子さんはまたのんびりした口調で言って、やっとグリルの火を止めた。真っ黒焦げのアジの干物を菜箸《さいばし》でつまみ上げて、「ちょっと戸を開けてくれる？　猫がいたら、あげちゃってよ、これ」とわたしに言った。

引き戸を開けると、さっきの猫が、また看板の下に戻って来ていた。わたしを見ても、もう毛を逆立てたりしない。細い瞳《ひとみ》が、さっきより優しそうにも見える。

夕子さんから受け取った干物を道に置くと、猫は勢いよくかぶりついた。

「……食べ終えるまで、ここで見てていいですか？」

わたしは店の前にしゃがみ込んだ。だめだと言われても、そうするつもりだった。

夕子さんはあきれ顔で「どうぞぉ」と歌うように答え、少し間をおいて、「歌ってみようかねえ、明日」と言った。

猫は美味《おい》しそうに干物を食べつづける。

わたしはしゃがみ込んだまま、さっき我慢したぶん、たーっぷりと、ゆーっくりと、泣いた。

5

栈橋に置いたモニターの画面の中で、夕子さんは段取りどおり、お笑い芸人さんと一緒に「はごろも、てんにょーっ！」と風呂敷をひらひらさせながら、トーク用のセットの中を駆け回った。どたどたという不恰好《ぶかっこう》な走り方に、司会の漫才コンビもトークゲストも腹を抱えて笑った。

「いけるよ、これ、お笑い転向ありなんじゃないっすかあ？」と司会の一人が言った。

そうかもしれない。

あんがい、この番組をきっかけに、羽衣天女は奇跡の復活を遂げるのかも……と巡らせかけた思いを振り切って、モニターから三人組に目を移し、「そろそろですよ」と声をかけた。

背広さんもセーターさんも作業服さんも、緊張した面持ちで「気をつけ」をしている。

「だいじょぶですか？　リラックス、リラックス」

「……うん、わかってる」

「どうせやるんだったら、照れたり恥ずかしがったりしないで、目一杯やってくださいね」

「……わかってるって言ってるだろ」

声がうわずっている。目の焦点もちょっとうつろで、膝《ひざ》も震えている。

ロケのリポーターを務める新人の局アナさんが心配顔でわたしを見る。平気平気、と笑って、またモニターを見つめ、キュー出しのタイミングを待った。

「では、そろそろ羽衣天女さんには歌のスタンバイをお願いしますが……」

司会の一人が言うと、片割れが「じつは！」と引き取った。「羽衣天女さん、二十年ぶりのテレビ出演を祝して、幼なじみの親衛隊の皆さんが、ふるさとの港に来てくれています！　こちらですっ！」

わたしはすばやく局アナさんに右手を振った。これが――ディレクターとしての初のキュー出し、になる。

「はいっ！　こちらに天女さんの幼なじみのお三方が……」

局アナさんは前振りの途中で「きゃあっ！」と悲鳴をあげた。

背広さんが。

セーターさんが。

作業服さんが。

いっせいに風呂敷をひらひらさせて、桟橋を駆け回ったのだ。「はごろも、てんにょーっ！」「はごろも、てんにょーっ！」「はごろも、てんにょーっ！」……。

三人は絶叫しながら、カメラの前を横切り、ジャンプして、腰をくねらせ、風呂敷をひらひら、ひらひら、ひらひら……。

スタジオのカメラが、夕子さんの顔のアップを抜いた。

笑っていた。やだぁ、もう、なにこれ、とおかしそうに、嬉《うれ》しそうに笑っていた。

やったね――！

わたしは両手で大きなマルをつくって三人に見せた。夕子さんにも島田さんにも、局アナさんにもカメラさんにも音声さんにも、なにも伝えなかった。まさにぶっつけ本番、でも最高の出来。

そして、三人は一人ずつカメラの前に立って、残る二人が息をゼエゼエさせながら必死に繰り返す「はごろも、てんにょーっ！」をバックに、夕子さんにメッセージを贈る。

「夕子ちゃん！　見てるからなあ！　しっかり歌えよ！」「はごろも、てんにょーっ！」「夕子ちゃん！　しっかり歌って、早く帰って来いよお！」「はごろも、てんにょーっ！」「ここだぞ！　ここが夕子ちゃんの生まれ故郷だぞお！　俺たちみんな、待ってるぞお！」「はごろも、てんにょーっ！」……。

モニターの画面は、スタジオのロングに切り替わった。あっけにとられていた司会の一人が、あわてて「それでは、歌っていただきましょう、ボサノバにリメイクされたヒットナンバー、『望郷波止場』！」と声を張り上げる。

生ギターのイントロ。

オケが重なるのに合わせて、カメラがクレーンで夕子さんに寄っていく。

スモークが焚《た》かれた。

照明がピンスポットに変わった。

現役時代を映すスクリーンも、ガマの油の鏡もない。島田さんは、約束を守ってくれて——「音楽番組」の撮り方をしてくれた。

夕子さんは、目を閉じて、静かに歌いだした。夕子さんではなく、天女さんになった。

桟橋にへたり込んだ三人組は、じっと、食い入るようにモニターを見つめ、小さなスピーカーから流れる天女さんの歌声に耳をすませていた。

天女さんは歌う。哀愁漂うボサノバのリズムに乗せて、目を閉じたまま、きっと三人組の子ども時代の顔を思い浮かべて、切々と歌いつづける。

林くんもスタジオの隅で聴いているはずだ。CDになるかどうかはわからないけど、でも、自分のディレクターとしての初仕事を、あいつのことだから泣きながら聴いているかもしれない。

今度はいつ一緒に仕事ができるだろう。わたしたちは、ほんとうに一人前のプロになれるんだろうか。わからない。わからなくても、初めての仕事を二人でやれてよかった。天女さんと三人組に会えて、よかった。

エンディングに入った。

三人組は泣いていた。でも、目をカッと見開いて、涙をぬぐう一瞬さえも惜しんで、天女さんを見つめていた。

携帯電話が鳴った。

島田さんからのホットラインだった。

「曲終わるとCM行くから、そっちには戻さないぞ。いいな」

「……はい」

「戻されても困るだろ?」

「……はい、困っちゃいます」

「おまえ、これ、泣かせの番組じゃないんだからな」

へへっと笑って、島田さんは電話を切った。

歌が終わる。生ギターのアウトロがフェイドアウトしていく。

最高の余韻――をぶち壊して、天女さんは勢いよく立ち上がった。椅子が床に倒れる音が生ギターの音をかき消した。

「羽衣天女！　終電で帰ります！」

パッと両手を挙げた。風呂敷が背中にひるがえった。

「はごろも、てんにょーっ！　はごろも、てんにょーっ！　はごろも、てんにょーっ！」

風呂敷をひらひらさせて、どたどたとがに股《また》になって、スタジオ中の爆笑を背に、天女さんは画面から消えていった。

＊

番組終了までに寄せられた反響の電話やメールは百件以上、島田さんを通して打診のあった別番組への出演依頼、多数――。

でも、羽衣天女は、それっきりテレビには出演しなかった。

どうしても彼女に会いたいのなら、京浜線に乗って、あの港町に行くといい。

駅と港に挟まれた、くたびれた飲み屋街の中に彼女の店はある。

通りに出した看板の下には、きっと、貧相でかわいげのない野良猫がうずくまっているはずだ。

ひとしずく

1

ちょっと張り込むことになる。いや、最初考えていた予算からすると、かなり――だった。

やっぱり、やめとくか。逃げ腰になりかけた自分を、いかんいかん、と叱った。たいしたことはない。大げさに決断するほどの金額ではない、決して。たしかにふだん飲んでいるワインに比べると値段は一桁《ひとけた》違っていたが、特別な一日を祝うための特別なワインなのだと考えると、少しぐらい背伸びをしたほうが、かえってありがたみが増すというものではないか。

地下のワインセラーまで下りてお勧めの一本を探してきた店員は、控えめながらも胸を張って、ぼくの反応をうかがっていた。

まだ若い男だったが、ワインについての知識はぼくよりはるかにあるはずだ。ハンパなことは言えないし、訊《き》けない。陳列棚に並ぶ中から一本選んでカゴに入れ、レジに向かう――近所のディスカウントショップでワインを買うときとは違うのである。

銀座のワインショップに生まれて初めて足を踏み入れた時点で、こういう展開になることは覚悟していた。ワインにぜいたくをしたりウンチクを増やしたり、という暮らしはしてこなかった。経済的にというより、気持ちのありようが、ワインに凝《こ》ることに対して微妙な気後れを生んでいた。おかげで四十歳を過ぎたいまも、ボトルの輪郭以外にボルドーとブルゴーニュの区別のつけ方を知らない。

「いかがでしょうか」

店員が訊いた。「もう少しお時間をいただけるのなら取り寄せもできるんですが、明日なんですよねえ」

「ええ……」

「在庫で、お客さまのお望みに適《かな》うのは、これだけなんです」

なんでもっと早く言ってこないんだよバカ、と責めているように聞こえたのは、こっちの考えすぎだろうか。そりゃそうだ。バカはないよな、さすがに。

ふふっと苦笑すると、店員はそれをどう受け止めたのか、「でも、こちらは当店としても自信を持ってお勧めできます。メドックの格付けでは四級ですが、品質と名声は二級に匹敵しますから」と言った。

「ああ……そう」

なにもわからない。

「ボルドーで最も美しいシャトーだと言われる名門なんです」

「うん……そうらしいね」

「城館もいいんですが、庭がまた素晴らしいんです。ヴェルサイユ宮殿にならったル・ノートル様式で、『メドックの小さなヴェルサイユ』と呼ばれています」

「なるほど」

相槌《あいづち》を打ちながら、目はボトルのラベルの文字を必死になぞる。

シャトーまでは、いくらなんでもわかる。

だが、その次――肝心かなめのシャトーの名前が読めない。

「ごぞんじですか、ボトルの絵。船の帆が半分下がってるのが、シャトーの誇りなんです。城館は、ちょうどジロンド川に面してるんですが、もともとはフランス海軍提督のエペルノン公爵《こうしゃく》の城館だったんです。十六世紀頃ですね。ジロンド川を行き交う船乗りたちはエペルノン公爵に敬意を表して、城館の前に来ると帆を下げるのがならわしになって、それがラベルに残ってるわけなんです」

わけなんです、と言われても。

BEYCHEVELLE。ベイチェヴェレ、でいいのだろうか。いや、フランス語のCHEは、「チェ」ではなく「シェ」と読むんじゃなかったっけ……。

「いかがでしょうか」

ウンチクを語り終えた店員が、もう一度訊いてきた。

ぼくはラベルを見つめたまま小さくうなずき、ふう、と息をついて、肩の力を抜いた。

見栄《みえ》を張るのはやめよう。いい歳をしてモノを知らないことよりも、いい歳をして知ったかぶりをすることのほうが、よほど恥ずかしい。

認めよう。はい、ボクはなんにも知りません、ワイン一本のために一万円札を二枚も財布から出すのは生まれて初めてです、晩酌は発泡酒で外では焼酎《しょうちゅう》のお湯割りばかり飲むオヤジです、尿酸値8を超えて、胆石も着実に育っていて、四十肩で電車の吊《つり》革《かわ》につかまるのがツラい今日この頃……。

ささやかなプレゼントなのだ、これは。

すでに人生の三分の一をともに過ごしてきた妻の紀美子の誕生日に贈る、不肖《ふしょう》の夫からのプレゼントなのだ。

「美味《おい》しいんですか?」

単刀直入に、いちばん大切なことを訊いた。

店員は一瞬ぎょっとしたが、すぐににこやかな笑顔に戻って、自信たっぷりに言った。

「ええ、それはもう」

「どんな味なの？」

「そうですね……基本的に、ベイシュヴェルはエレガントな味わいです」

ベイシュヴェルと読むのか。

危ないところだった。

エレガント。悪くない。紀美子《きみこ》のふくよかな笑顔を思い浮かべると、こっちまで頬がゆるんでくる。

「それで……あの、古すぎて味が落ちてるっていうようなことは……」

「ご心配要《い》りません。保存状態は完璧《かんぺき》ですし、ワインというのは、そういう、賞味期限がどうこうというお酒ではございませんので」

あ、いまバカにされたな、とわかった。四十二歳。社会に出て二十年。そういうところの勘ばかり鋭くなってきた。

思わずムッとしたぼくにかまわず——たぶん見限ったのだろう、店員はボトルを手に取って、クロスでそっと拭《ふ》きながら「でも、ほんとうにいいワインですよ」と言った。

「おそらく、円熟した風味になっていると思います。女性にたとえるなら、少女のみずみずしい輝きが、しっとりとしたおとなの女性の美しさに変わっていった、という感じでしょうか」

「いいね」

「あ、でも、一九六二年ですよね。四十三年目になるのか……じゃあ、もうちょっと枯れた味わいかもしれません」

「……わかるよ」

シャトー・ベイシュヴェル1962——紀美子と同じ年に生まれたワイン。

紀美子が生きてきたのと同じ歳月を、静かに眠りつづけて過ごしたワイン。

「バースディ・ヴィンテージワイン」と呼ぶのだと、ついさっき、店員に教えられたばかりだった。

〈夫婦ともに四十代になると、妻の誕生日に贈るプレゼントは、ただのモノでは面白くない。「物語」を贈ろう。二十代や三十代には真似《まね》のできないおとなの特権、それは贈る側にも贈られる側にも人生の「物語」があること。それは他の誰にも手にすることの叶《かな》わない、自分だけの財産。そんな「物語」を感じさせない贈り物は、相手の歓心を買うための手段にすぎないのだ。人生のパートナーになにを贈るか。四十代のプレゼント選びは、それじたいが目的でありたい〉

まいっちゃうね、しかし。

記事を読み返すたびに思う。背中がむずむずして、椅子に座る尻《しり》がどうにも落ち着かなくなってくることもある。

キザったらしい雑誌だ。「プチはぐれオヤジ」なる流行語を生み出した人気雑誌だということは知っていたし、読者層の中心が四十代前半ということは、まさにぼくはストライクゾーンど真ん中になるわけなのだが——だからこそ逆に、そこに漂うスノッブさが鼻について、意地でも読むものか、と背を向けていた。紀美子が先週「たまにはこういうの読んで、ファッションの勉強してみたら？」と夏物シャツの特集号を買ってこなかったら、おそらく一生ページを開くことはなかっただろう。

シャツの特集は、なんの役にも立たなかった。デザインや素材をどうこう言う以前に、シャツに数万円のカネを出す暮らしなど送ってもいないし、送りたくもない。カッコよく言えば、見た目にこだわらない硬派——というか、本音では、お洒落《しゃれ》な恰好《かっこう》をして目立つのが嫌なのだ。量販店の吊《つる》しの背広でけっこう、三足千円のソックスでじゅうぶん、そこいらのオヤジ、ダサい中年、その他大勢の一般庶民……それのどこが悪い？

「そりゃあ、べつに悪くないけど」

紀美子に言われた。安物のコーディネイトは、若いうちしか似合わないのだという。

「若いうちは勢いっていうか、若さだけで着こなしちゃえるところがあるでしょ。でも、歳をとると、それがキツくなるわけ。安い服を着てると、そのまんま、安さが出ちゃって、貧乏臭さになっちゃうわけ」

なんとなく、わかるような気がする。

「値段の高い服って、やっぱり、それだけのことはあると思うのよ」

そうかも、しれない。

結局、ぼく自身がシャツを選んで買う気にはなれなかったが、紀美子に「じゃあ、試しに一着買ってこようか？」と言われると、絶対に嫌だとは断れなかった。

「ワイシャツだと逆に、背広とかネクタイとか、まわりをぜんぶ合わせたくなっちゃうから、とりあえずカジュアルなのにしようか」――それを誕生日のプレゼントのお返しにするから、と紀美子は笑った。

「でも、そんなのヘンだろ。いいよ、俺の誕生日のときで」

「だって十一月じゃない。半年も先なんだから、とにかく夏物を買ってみようよ。ねっ？」

「でもなあ……カミさんの誕生日に便乗するっていうのも……」

「結婚して十五年もたったら、おんなじでいいの。奥さんのお祝いもダンナのお祝いも、まとめて夫婦のお祝いにしちゃえばいいんだから」

大ざっぱな話である。

しかし、紀美子の言うことも、わかる。

十五年目を迎えた結婚生活は、ニュータウンの不動産広告によくある「成熟した街並み」「閑静な住宅街」と同じだ。開発だの分譲だのといったゴタゴタも一段落つき、落ち着いて、それなりに暮らしやすくもなっていて、ぜいたくを言えばきりがないものの、とりあえず、いまの環境に不満を見つけだすのは難しい。

だが、ときどき、その静かな落ち着きが、退屈さや寂しさに変わってしまうことがある。

以心伝心でわかりあえる部分が増えれば増えるほど会話は減ってしまうし、お互いの趣味や好き嫌いを把握するにつれて、びっくりすることも減ってくる。夕食のおかずやテレビのチャンネルをめぐって小さなケンカを繰り返していた新婚時代が、いまは、なんともいえず懐かしい。

ぼくと紀美子には、子どもがいない。

三十代半《なか》ばまでは病院で不妊治療も受けていたが、紀美子が三十五歳の誕生日を迎えたときに、もういいだろう、と二人きりの暮らしを受け容《い》れた。

わが家の誕生日のお祝いは、年に二回しかない。バースディケーキのロウソクを吹き消しても、拍手は一人ぶんしかない。これからも、ずっと。

ならば、それを二人のお祝いにしてしまうのも——あり、だ。二人でプレゼントを交換して、二人で喜んで、二人でお祝いを言い合って、二人でケーキのロウソクを吹き消し、二人で拍手をする。それを「寂しい」というひととは、ぼくは付き合いたくない。

ともかく、そういう経緯で、紀美子へのプレゼントは、去年までよりグレードを上げざるをえなくなった。紀美子がぼくに贈るシャツよりも見劣りするものを買ってきたら、あとでなにを言われるかわからない。

幸い、紀美子が買ってきた「プチはぐれオヤジ」御用達《ごようたし》の雑誌は、第二特集が『ギフトでわかる男の深み』だった。

これを参考に、なんとか洒落《しゃれ》たものを……とページをめくって、数分後に、ため息とともに本を閉じた。

幸いでもなんでもない。

「物語」――言わんとすることは、かろうじてわからないでもなかったが、そこに紹介されているのは、ヘミングウェイだのチャーチルだの吉田《よしだ》健一《けんいち》だの開高健《かいこうたけし》だの植草《うえくさ》甚一《じんいち》だの伊丹十三《いたみじゅうぞう》だのといったお歴々の逸話ばかりだった。

オヤジはどこだ。ただのオヤジはどこにいる。そこいらの、その他大勢の、三足千円のビジネスソックスを穿《は》いたオヤジには、「物語」など端《はな》からない、ということなのか。

いや待て、とねばった。あきらめるな、と自分をたしなめた。すぐにキレるのはガキに任せて、こっちはねばり腰で勝負だ。会社でもふんぎりの悪さには定評のあるオレだ。会社で受けた健康診断によると、前立腺《ぜんりつせん》も肥大気味らしい。

偉人だろうと凡人だろうと、賢者だろうと愚民だろうと、誰もがひとしく持っている「物語」――それが、生きてきた時間というものだ。暮らしの歳月というものだ。

そう考えて選んだのが、バースディ・ヴィンテージワインだったのだ。

シャトー・ベイシュヴェル1962。

紀美子にはまだ教えていない。

明日、いきなり渡して驚かすつもりだった。うわあっ、とびっくりする紀美子の前でコルク栓を抜き、結婚祝いにもらった上等のワイングラスに注《つ》いで、きみの歴史に乾杯——なんてキメてみたりして……。

そんなぼくの目論見《もくろみ》を察したのか、店員はボトルを化粧箱に入れながら言った。

「お飲みになるときは、早めにデカンタに移しておかれたほうがいいと思いますよ。眠ってる時間が長かったぶん、目覚めるのにも時間がかかりますから」

段取り、ぶち壊しである。

2

日曜日は、朝から気持ちのいい青空が広がっていた。絶好の誕生パーティー日和《びより》だ。

夫婦二人のささやかな宴は、昼食を兼ねて開くことにしていた。宴の主役が「ごめんね、夜はゆっくりタッキーを観たいから」と、誕生日のお祝いよりもNHKの大河ドラマのほうを優先させたせいだ。結婚十五年にもなれば、たいがいのイベントは日常の前では無力になってしまう。毎日の生活そのものがすでにイベントだった恋人時代や新婚時代とは、そこが大きく違う。

そんなわけで、秘蔵の——といってもゆうべ一晩隠しただけなのだが、シャトー・ベイシュヴェル1962は、よく言えば健康的な、身も蓋《ふた》もなく言うならお色気ゼロのシチュエーションで、四十三年の眠りから覚めることになった。

「ねえ、どんなワインなの？」

訊かれても、教えない。「箱から出して、ラベルを見た瞬間、感動するぜ」と、これがぎりぎりのヒント。

シャトー・ベイシュヴェル1962は、リボンの掛かった化粧箱に入ったまま、サイドボードの上に置いてある。

とりあえず最初の乾杯は発泡酒で喉《のど》を潤《うるお》し、一息ついたところで、プレゼントを渡す。デカンタに移して飲みごろになるのを待つ時間も、それはそれで楽しいもので……どうせだったら最初もシャンパンのほうがよかっただろうか……せめてビールだよなあ、〈雑酒〉だもんなあ、発泡酒は……あの分類の名前、なんとかならないもんかな……。

「じゃあ、わたしのほうは先にプレゼントを渡しちゃってもいい？」

紀美子はブティックの袋をぼくに差し出して、「愛する奥さんのお誕生日、おめでとうございます」と笑った。

紀美子が見立ててくれたのは、パステルグリーンのリネンのシャツだった。

さっそく服を着替えると、まず最初に「裾《すそ》はパンツの中に入れない」と言われた。

「わかってるけどさ……なんか、すーすーしちゃうんだよなあ。腹が冷えそうっていうか」

「でも、いまどきシャツを入れてると笑われちゃうわよ」

しかたなく、裾を出した。

「あと、ほら、こういうところ、今度から気をつけないと」

紀美子は襟《えり》を整えて、少し離れたところからチェックをするように見つめた。

「いいんじゃない？　なかなか」

「……そうか？」

「うん。お店で見たときには、ひょっとしたら派手すぎるかなって思ってたんだけど、だいじょうぶ、似合ってる」

「いやあ……そうかなあ……」

照れくさくて、しかし、嬉《うれ》しい。見た目を褒《ほ》められることなど、何年ぶりだろう。

「ね、胸のボタン、もう一つはずしてみてくれる？」

「こうか？」

「あ、いいね、いい感じ。ちょっと不良っぽくて」

毎晩、駅前にたむろする若い連中と目を合わせないようにしていることは——もちろん、紀美子は知らない。

「じゃあね、今度は袖《そで》をロールアップしてみようか」

「ロールアップって？」

「まくるの、そう……違うって、肘《ひじ》の上までまくっちゃったらワンパク少年じゃない。せいぜい七分袖とか、うん、カフスを一折りするだけでもいいかもね」

言われたとおりにすると、紀美子は「いいねえ！　いいよ、それ！」と、カメラマンの物真似のつもりなのだろうか、おどけて言った。最初に袖をまくりすぎたせいで早くも皺《しわ》が寄ってしまったのが、なんともいえず悔しかったが、紀美子に「そのほうがいいわよ、かえって。着古してる感じのほうが味があるから」と言ってもらって、ちょっと自信がついた。

「こんな感じかな」

斜に構えてポーズをとった。

「いい、いい」

「こういうのは？」と、食卓の椅子に片足を掛けてみた。

「サイコー」

「じゃあ、こんなのはどうだ？」

椅子に脚を投げ出して座り、ちょっとワイルドにキメて……さすがにバカらしくなって、やめた。分別のあるおとな二人の暮らしは、ふざけて子どもじみたことをやっても、長続きしない。「年甲斐《としがい》もない」という自己規制が働いてしまうのだ。

それでも――とにかく、いい雰囲気でワインの栓を抜けそうだ。

天気は上々、紀美子は上機嫌、食卓には通販で取り寄せたごちそうが並び、おろしたてのシャツは肌にさらさらと馴染《なじ》み、とっておきのワインは目覚めの時を静かに待っている。

「じゃあ、そろそろケーキ出そうか」

「そうだな」

キッチンに向かう紀美子の背中を笑顔で見送っていたら、部屋の電話が鳴った。

誰だよタイミング悪いなあこのバカ、と毒づきながら液晶ディスプレイを覗《のぞ》き込んだ。

その瞬間――ぼくたちの穏やかで幸せな日曜日に、不意に暗雲が立ちこめたのだった。

電話をかけてきたのは、義弟の勝利《かつとし》さんだった。ぼくの三つ下の妹・由紀《ゆき》のダンナ――だから戸籍上というか、建前は義理の弟ということになる。しかし、年齢はぼくより彼のほうが二つ上で、建前では弟とはいえ、やはり「さん」付けしないことには収まりが悪い。

もちろん、これはあくまでも、ぼくの好意と気づかいに基づく「さん」付けだ。勝利さんが「こっちは弟なんですから、呼び捨てにしてくださいい」と遠慮してくるのを、「いやいや、やっぱり基本は歳でしょう」とあえて彼を立ててやれば、義理の兄弟の関係でこっちが精神的に優位に立てる。名を捨てて実をとる、というやつだ。

だが、勝利さんはなにも言わない。「さん」付けをごく当然のように受け容れて、おまけにぼくのことも「義兄《にい》さん」ではなく、「和夫くん」――「くん」呼ばわりである。

甘かった。

とことん図々《ずうずう》しい勝利さんの性格を把握したときには、すでにぼくたちの関係の主導権は、勝利さんに握られてしまっていたのだ。

今日もそうだった。

「ああ、和夫くん？　俺だけど……ひさしぶりだな、元気だったか？」

いばるな。

「いやあ、今日な、優太《ゆうた》のサッカーの試合があったんだよ、朝のうち。で、秀平《しゅうへい》と一緒に応援に行って、試合はさっき終わったんだけど、いい天気だからどこか遊びに行くかってことになったんだ」

嫌な予感がした。

「そしたら、優太も秀平も、紀美子おばちゃんのところがいい、って」

うげっ、と思わず声が漏《も》れそうになった。

小学五年生の優太も、二年生の秀平も、絵に描いたようなヤンチャ坊主だ。顔立ちも性格も父親そっくり——なにしろ親父が「勝利」で、息子二人がセットで「優秀」なのだ。いまどき、ここまで露骨な勝ち組志向の親子というのも珍しい。

「いるんだろ？　今日は」

あ、いえ、じつはいまから外出を……とは、言えなかった。嘘をつくときには、ためらいや後ろめたさが邪魔をして、一呼吸おいてしまう。バカ正直な男なのだ、われながら。

そして、勝利さんは、そんな一呼吸の間に、グイッと自分の主張をねじ込んでくる。

「じゃあ、五分後ぐらいに着くと思うから」

「え？」

「近所まで来てるんだよ、もう」

「いや、あの……」

「ああ、それで、メシはいいから、うん、気にしないでいいぞ。さっき、たまたまお祭りやってる神社の前を通りかかってな、屋台も出てたから、焼きそばとかタコ焼きとか、いろいろ買ったんだ。それをみんなでつまめばいいだろ」

焼きそば――？

タコ焼き――？

長い眠りから覚めたシャトー・ベイシュヴェル1962を迎えるのは、ソースと青のりのにおい――？

「じゃ、よろしくな」

電話は向こうから、あっさりと切れた。

受話器を置いてため息交じりに振り向くと、紀美子はテーブルに前菜を並べているところだった。伊勢エビとグリーン野菜のテリーヌ、レモングラス風味——ホテルのデリから取り寄せた一品だ。

「あのさ、紀美子……悪いけど、それ、ラップして冷蔵庫にしまっといてくれ」

声がかすかに震え、うわずった。

「どうしたの?」

説明する前に、頬の力を抜いて、へへっと笑った。実際、笑うしかない。他には、なにもできない。

勝利さんにガツンと言ってやりたくても、言えない。

負い目がある。

去年までふるさとにいた八十歳近い母が、さすがに一人暮らしがキツくなって、東京に出てきた。引き取ったのは、由紀の——勝利さんの家だったのだ。

3

乾杯の発泡酒は、ほとんど一息で空になった。勝利さんは酒が強い。派手にげっぷをして、煙草《たばこ》の煙をまきちらして、「やっぱり昼酒はいいねえ」と、ぼくたち夫婦の祝宴を居酒屋のノリにしてしまう。

「いやあ、でも水くさいよなあ、和夫くんも紀美子さんも。せっかくの誕生日なんだから、一声かけてくれればいいのになあ。知ってたら、由紀やおばあちゃんも連れてきたのに」

ぼくも紀美子も愛想笑いを浮かべて、「どうもすみません」と頭を下げる。

「夫婦水入らずなんてさあ、そういう歳じゃないだろ、もう。まいっちゃうよなあ、いつまでも仲がよくて、お二人さん」

がははっ、と笑う。

「でも、誕生日にウチで二人きりなんて、ちょっと寂しい話だよなあ」

だから——ぼくたちの暮らしを「寂しい」と切り捨てるような奴とは、ぼくも紀美子も付き合いたくないのだ。

「どうせだったら、今日、こっちに遊びに来てくれればよかったのに。由紀も喜ぶし、おばあちゃんだっているんだから」

一瞬、言葉の奥にトゲがのぞいた。

「せっかく東京に出てきたのに、和夫くんたちは全然顔出してくれないから、おばあちゃんも寂しがってるぞ」

それは、わかる。

ぼくは黙って発泡酒を啜《すす》り、紀美子も急にしゅんとして、「すみません……」と頭を下げた。

母と紀美子の間がしっくりいかなくなったのは、結婚して四、五年たった頃からだった。

理由はただひとつ、紀美子が子どもを産めなかったから、だった。

ぼくは田舎の農家の長男で、母も、それからぼくたちの結婚を見届けるようにして亡くなった父も、当然のように「いつかは和夫が『西村《にしむら》』の家を継ぐ」と決めてかかっていた。そして、当然のように「跡取りの子どもを産むのが長男の嫁の務め」という重圧を紀美子に与えていた。

母はぼくたちが帰省するたびに、子どものことを訊いてきた。ちゃんと説明はした。不妊治療の話も伝えた。頭では母も納得してくれていた。だが、現実に、子どものいない長男夫婦が家を継いでも、やがてその家は絶えてしまう。財産と呼ぶほどの土地はなくても、西村家そのものがなくなってしまうことは、母にとっては決して認められるような話ではなかったのだ。

紀美子が三十代の後半に入り、不妊治療を打ち切ったのを境に、母のまなざしはぼくたち夫婦には向けられなくなった。由紀の家には孫がいる。二人もいる。図々しいぶん如才もない勝利さんも、「いずれは秀平に西村の姓を継がせてもいいですから」と言って、母を感激させていた。

田舎の家を引き払うときも、ぼくたちは母と同居するつもりでいたのだが、母が選んだのは由紀の家族のほうだった。「由紀も子育てが大変だから」という口実をつけていても、おしゃべりな勝利さんは、訊いてもいないことをぺらぺらとしゃべる。

「やっぱりなあ、昼間は紀美子さんと二人きりになるわけだろう。それはお互いキツいと思うんだよ、俺も。そこんところ、ウチはほら、由紀はいちおう自分の娘だし、走り回るのが二人もいるから、ばたばたしてるぶん、気も紛《まぎ》れるもんなあ」——悪気なく、そういうことを言ってしまうひとなのだ、勝利さんは。

世話になっている。それは否定しない。勝利さんが同居を嫌がったら、母も由紀も、もちろんぼくも、困り果てていたはずだ。感謝しているし、今後どんどん年老いて体が思うように動かなくなるはずの母のことを考えると、もっと感謝しなければならないのだろう、とも思う。

「おう、どうした、和夫くん。ほら、飲んで飲んで」

「まあ、おばあちゃんのことは、俺にどーんと任せてくれればいいんだ。長男だの婿《むこ》だのなんて言ってる時代じゃないんだから、もう」

「……ありがとうございます」

「幸い、っていうのもアレだけどな、ウチの仕事もうまくいってるし、家族が一人増えたって、どうってことはないんだよ、どうってことは」

がははっ、と唾《つば》を飛ばして笑う。

税理士事務所を開業している勝利さんは、最近では経営コンサルタントの仕事も増やしている。由紀は家事や子どもの世話の合間に事務所の手伝いもしているから、母の同居は、勝利さんや由紀にとってもメリットのある話なのだ。

「でも、ほんとにアレだぞ、遠慮しないでいいんだから、いつでも遊びに来てくれよ。おばあちゃんだって、慣れない東京暮らしで、いろいろストレスも溜《た》まってると思うから、たまには聞き役になってやってくれ」

「……はい」

「孝行したいときに親はなし、だぞ」

「……そうですね」

「そういうものなんだよ、人生ってのは、うん」

義理の弟に、なにがつらくて人生を教わらなきゃいけないんだ。

焼きそばとタコ焼きを食べ散らかした優太と秀平は、「腹減ったー、おばちゃん、なんかないー？」と言いだし、テリーヌもウズラのローストも冷蔵庫から出すはめになった。

おばちゃん——と子どもたちが紀美子を呼ぶたびに、ムッとしてしまう。「ママ」とも「お母さん」とも呼ばれなかった紀美子が、なぜ無遠慮に「おばちゃん」呼ばわりされなければならないのだろう。

「おい、優ちゃん、秀ちゃん、タコ焼き一個残ってるだろう。それ先に食っちゃえよ」

勝利さんはテーブルの上のタコ焼きのパックを指差して言った。自分の子どもを「ちゃん」付けで呼ぶ男にろくな奴はいない、というのがぼくの持論で、勝利さんを見るたびに、その持論に自信が湧《わ》く。湧いてどうする、とは思うのだが。

「あ、じゃあ、俺食っていい？」

優太が爪楊枝《つまようじ》の刺さったタコ焼きに手を伸ばすと、秀平も「ぼくが食べるーっ、ぼくの、それ！」と負けじと手を伸ばす。

もみ合いになった。さっきまでは見向きもしなかったタコ焼きをめぐって、兄弟ゲンカが始まる——子どもっていうのは、ここまでバカな連中なのか？

テーブルの上の花瓶が危ない。あわてて椅子から腰を浮かせ、花瓶をどこかに移そうとした。優太はタコ焼きを秀平に奪われまいとして、爪楊枝を持った手を振り回す。

「優太くん、危ないわよ」

紀美子が声をかけた直後、爪楊枝からタコ焼きが抜けて、ぼくの胸に飛んできた。よけきれなかった。

紀美子が見立ててくれたシャツに、当たった。

べっとりと、ソースの染みがついた。

「だいじょうぶ、すぐに洗ったからだいじょうぶ、あとでクリーニングに出せば消えるわよ、あれくらい」

服を着替えに寝室に向かったぼくの様子にただならぬものを感じたのだろう、洗面所でシャツを水洗いした紀美子は寝室に入ると、子どもを慰め、励ますように言った。

「……俺、あいつら、すぐに帰らせるから」

優太は謝らなかった。「あーあ、落ちちゃった」とタコ焼きのほうを心配していた。

秀平は「おじちゃん、鬼みたいにガオーッて言ってみて」と、遊園地の的当てゲームのつもりになっている。そしてなにより、勝利さんは「うんうん、男の子は元気がいちばん！　ケンカをしてもすぐに仲直り！」と、わけのわからないことを言って笑っていたのだった。

許せない。帰らないのなら、腕ずくでもいいから、叩《たた》き出して……。

「わざとやったわけじゃないんだから、いいじゃない。ほら、元気出して」

「でも……悔しいよ、ほんと、アタマ来るよ」

「いいからいいから、はいはいはい」

ぼくの背中をポンポンと叩いて「ウズラのロースト、いちばん美味《おい》しいところはとってあるから」と笑う紀美子の大らかさが、泣きたいほどありがたくて、だから、泣きたいほど悔しい。

4

怒りをなんとか鎮《しず》めてリビングに戻ると、優太も秀平もけろっとした顔でプロレスごっこをしていた。「ごめんなさい」は、やはり――たぶん永遠に、ないのだろう。

勝利さんも、空になった発泡酒の缶を勝手に片づけて、「どうもいかんな、発泡酒は。アルコールが薄いから、生酔いのまま腹ばっかりふくれて」と言いだした。「なにか、もうちょっとキリッと酔える酒ないかな」

「……ウイスキーにしますか？」

「いや、ウイスキーって気分じゃないんだよな、いまは」

ひとの家で気分なんて言うな——怒鳴りつけることができるなら、どんなに気持ちいいだろう。

「紀美子さん、ワインないかなあ」

背筋を冷たいものが滑り落ちた。

紀美子も一瞬顔をこわばらせ、あわててつくり笑いを浮かべて……サイドボードをちらりと見てしまった。

「うん？　あれ？　あそこにあるのって、ワインか？」

勝利さんは伸び上がってサイドボードに目をやった。無神経なくせに、そういうところだけはやたらと目ざとい。

「リボンが掛かってるってことは、お祝いのワインってことだな。よし、せっかくだから、よかったら、みんなで飲まないか」

よかったら――って、それは俺の台詞《せりふ》だろうが、俺の。

紀美子はためらいながらも、「そうですね、じゃあ、そうしましょうか」と言った。言わざるをえなかった。ぼくも愛想笑いを消すのがせいいっぱいの抵抗で、そんな抵抗にはなんの力もない。

「和夫くん、持ってこいよ、俺がコルク開けてやるから。ごちそうになるんだから、それくらいやらせてもらわないとな」

それは、ぼくの役目だったのだ。ラベルを紀美子に見せて、1962の数字を指差して、驚く紀美子ににっこりと微笑《ほほえ》みかけるはずだったのだ。

化粧箱からボトルを取り出した勝利さんは、ラベルをちらっと見ただけで、「これは、赤だな」と子どもでもわかるようなことを、もったいをつけて言った。

気づいていない。このワインの価値に。このワインにひそむ「物語」に。

「なんか古いな、コルク」

四十三年たってるんだよ、紀美子が生まれた年に瓶詰めされたワインなんだよ、気づいてくれ、わかってくれ、そしてこのワインにこめたぼくの熱く深い夫婦愛におそれおののいて、とっとと帰ってくれ……。

コルクを抜いた勝利さんは、そのまま自分のワイングラスにどぼどぼと注いだ。渋みを帯びた赤――若いワインとは明らかに違う、長い年月だけがつくりだせる赤い色を、勝利さんは「おい、なんかこれ、色悪いなあ」と言い放つ。

「ま、いいや、ほら、和夫くんも紀美子さんも、飲んで飲んで」

「あの……このワイン……デカンタに移して少し時間をおいたほうが……」

「うん? いいのいいの、そんな、客っていっても身内なんだから、気をつかわなくてもいいんだよ。無礼講でいこうや、なあ」

「そうじゃなくて……」

ひとの話など聞いてはいない。

勝利さんはガバッという音が聞こえそうな勢いでワインを飲み、複雑な表情になった。

「なあ、ひとんちのワイン飲んで文句言うのもアレなんだけど……ちょっと味がシブすぎないか?」

だから言ったのだ。

シャトー・ベイシュヴェル1962に、そして、このプレゼントに託した「物語」に、手をついて謝りたくなった。

眠れる森の美女が目覚めた瞬間、荒くれ男に手込めにされてしまった――そんな気が、した。

デカンタにワインを移しても、短気でせっかちな勝利さんは、ワインが花開くのを待ちきれない。「そろそろかな?」とデカンタからグラスに注いでは一口飲み、「まだシブいなあ」と顔をしかめ、「もうちょっと待ったほうがいいみたいだぞ」と自分で言っておきながら、一、二分もしないうちに「もういいだろ」とグラスに注ぎ、やっぱりまた顔をしかめる。

ぼくも紀美子も、空のグラスを前に置いたまま、じっとデカンタを見つめる。紀美子はわかってくれている。このワインの持つ、いや、ぼくたち自身の「物語」の重みを。だから、まだ、飲まない。眠りから覚めたワインが完全に花開くのを待ちつづける。

だが、すでにデカンタの中身は半分ほどに減ってしまった。酔うのはあきらめた。せめて味わいたい。四十三年という歳月を、この舌で、味わってみたい。

勝利さんはまたデカンタを手に取った。

「おっ、さすがに、そろそろいい感じになってきたかな?　どうかな?　まだシブいかなあ……うーん……どうなんだろうなあ……」

ごく、ごく、ごく、とワインを飲む。

飲んだぶんをデカンタから注ぎ足す。

残りは三分の一ほどになってしまった。あとは、勝利さんの飲むペースとシャトー・ベイシュヴェル1962が完全に花開くまでの時間との競争になる。

速い――勝利さんのほうが、はるかに。

残り四分の一、と思う間もなく五分の一になって……もうだめだ、ここで飲むしかない、と覚悟を決めた、そのとき――。

新たに注いだワインを口に含んだ勝利さんの表情が変わった。ごくん、と飲み干して、「おおっ」と声をあげる。「美味《うま》いぞ、これ、ほんとうに美味いぞ……」

ちょっともう一杯、と勝利さんはデカンタに手を伸ばす。そうはさせるか、とぼくもあわてて手を伸ばす。

勢いがつきすぎた。

腰高のデカンタは、お洒落《しゃれ》なデザインをしているぶん、安定が悪すぎた。

シャトー・ベイシュヴェル1962は、満開のまま、はかない命をテーブルと床に散らしてしまった。

勝利さんと子どもたちは帰ってしまった。

ぼくは見送らなかったし、彼らもそんなもの要らないと思っていただろう。

玄関のドアを乱暴に閉める音が、リビングにいても聞こえる。憤然とした勝利さんの顔が、見なくても、くっきりと浮かぶ。

怒鳴りつけたのだ。思わぬぼくの剣幕にきょとんとする勝利さんの胸ぐらをつかみあげて、「出て行け！」と怒鳴ったのだ。

後悔はない。申し訳なさなど、かけらもない。これからのこと——いまは考えるのはよそう。

紀美子がリビングに戻ってきた。

「怒ってたよ、勝利さん。もう二度と来ない、って」

「……いいよ、ほっとけ」

「まあ、でも、またけろっとして電話かけてくるような気もするけどね」

ぼくも、そう思う。

そう思ってしまうことが悔しくて、腹立たしくて、情けなくて、けれどなぜだろう、頬は自然とゆるんでしまう。紀美子も笑っていた。「まいっちゃうよね、ほんと」とため息をつきながらも、苦笑いの顔に浮かぶのは、まんざら苦みだけというわけでもなかった。ぼくたちは、よほどおひとよしの夫婦なのだろう。

「ごめんね」

「なにが？」

「あなたにキツい思いさせちゃって。お義母《かあ》さんのことも、ほんとに、ごめんなさい」

そんなことない、とぼくはかぶりを振る。絶対に、それは、おまえのせいじゃない。ぼくたちは、この暮らしを二人で選んだのだ。客が来なければ食卓の椅子が埋まらない夫婦だけの暮らしを「寂しい」と呼ぶひととは——何度でも言う、ぼくは決して付き合いたくない。

「誕生日のプレゼント、いただきまーす」

「……え？」

紀美子は空のボトルをまっすぐ逆さにして、グラスの上にかざした。底に残っていたワインが、ひとしずくだけ、ぽとん、とグラスに落ちた。

「理屈から言ったら、デカンタに移してたのと同じだもんね」

グラスを傾け、最初で最後のシャトー・ベイシュヴェル1962を、そっと舌に載せる。目を閉じて、ゆっくりと時間をかけて味わってから、「美味しい……」と言う。

呑み込むまでもなく、ひとしずくのワインは舌に染みていったのだろう。
紀美子は目を開けて、ぼくを見つめ、「ありがとう」と言った。
「ハッピー・バースディ」とぼくは言う。
紀美子の目から、透き通ったひとしずくが、揺れながら頬に伝い落ちた。

みぞれ

父の声を聞けなくなって、もう二年になる。

少し鼻にかかって濁った声——優しい口調よりも怒気をはらんだ口調のほうが似合うし、実際、記憶をたどって浮かんでくるのはそういうときの声ばかりだ。

「よく叱られたよね、お父ちゃんには」

小春日和のやわらかい陽光が射し込む居間には、父と僕しかいない。さっきまで父の隣に座っていた母は、気をつかってくれたのか、「お茶をいれてくるけん」と台所に立ったきり、なかなか戻ってこない。

「怖かったよ」

苦笑交じりに言う僕の顔を、父はちらりと見る。安楽椅子の背に頭を預けたまま、目の向きだけを変えた。反応はそれだけだった。

「大きな声になるときも怖かったけど、逆に、声が急に低くなって、『ちょっとここに座れ』って言うとき……そっちのほうが怖かったなあ、子どもの頃は」

父は目を閉じて、頬をゆるめた。

そうだったなあ、と笑っているのだろうか。

それとも、頬をゆるめたように見えるのは——筋肉を思いどおりに動かせず、表情を引き締めることができなくなっているだけ、なのだろうか。

僕は煙草をくわえ、火をつける。部屋に入ってまだ一時間たらずなのに、小ぶりの灰皿は吸い殻で埋まっている。ぜんぶ僕が吸った。吸い殻は長いものばかりだ。火をつけて二口三口吸っては捨て、すぐにまた手持ちぶさたになって新しい煙草をくわえる、その繰り返しだった。

母には、ついさっき「煙草の吸いすぎは良うないよ」と言われた。「あんたも四十過ぎなんやけん、そろそろ体のことも考えんといけんよ……」

僕が煙草を吸うことを——それもヘビースモーカーやチェーンスモーカーと呼ばれるほどの本数を吸っていることを、母はひどく心配している。それも、以前は「体によくないよ」と顔をしかめる程度だったのが、最近は「宏美《ひろみ》さんや俊介《しゅんすけ》のことも考えんさい」と、妻や一人息子まで持ち出してくる。

気持ちはわかる。

父は十三年前に脳梗塞《のうこうそく》で倒れた。いまが七十四歳だから、六十一の頃だ。

煙草が直接の原因とは言わなくとも、長年の喫煙習慣が体に悪い影響をおよぼすことぐらいは、僕だって知っている。

父の発作は、脳梗塞としては軽いものだったのだろう。右半身に痺《しび》れが残る程度の後遺症しか出なかった。たまに舌がもつれることはあっても、酒に酔うと発作前と変わらずよくしゃべった。ふだんは無口で無愛想なくせに、酒が入ると陽気になり、饒《じょう》舌《ぜつ》にもなる——父はそういうタイプの男だった。

医者は父に煙草をやめることを命じた。母も、僕も、三つ下の妹の多香子《たかこ》も、「せっかく助かった命なんだから、大事にしないと」と父に言った。そのときは神妙な顔でうなずいていた父だったが、結局煙草とは縁が切れなかった。控えるように医者に言われた酒も、もう定年を迎えていたせいもあるのだろうか、飲む量が減るどころか、コップに注いだ焼酎《しょうちゅう》のお湯割りを昼間からちびちびと飲むようにもなって、母が近所の酒屋に焼酎の一升瓶を注文するペースは倒れる前よりむしろ早くなってしまったらしい。

だから——なのだろうか。

最初の発作から四、五年たった頃から、父の体は急速に衰えてきた。右半身、特に脚の痺れがひどい。長い距離を歩くのがキツくなり、やがて右脚に体重をかけられなくなって、ほどなく、なにかにつかまらないと歩けなくなってしまい、いまは杖《つえ》を使っても数メートルの距離を歩くのが精一杯になってしまった。

そして、父は言葉をうしなった。

顎《あご》や口の動きが目に見えて悪くなり、それだけでなく、おそらく脳の言語中枢にも障害があるのだろう、口を開いても言葉がほとんど出てこなくなった。

いまは、父が自分から話しかけてくることは、まず、ない。こちらの言葉への返事も「おお」と「ああ」ぐらいのものだ。ふるさとから遠く離れた東京に暮らす僕が、地方出張のついでに実家に顔を出したときには、はらはらするぐらいの間を空けて「お……か……え……り」と言って迎えてくれる——今日もそうだ。だが、その声は、僕の知っている父の太い声ではない。誰かのしわぶき一つで聞こえなくなってしまいそうな、かすれた細い声。吐き出す息にかろうじて言葉が乗っているという体《てい》のものだった。

「ねえ、お父ちゃん」

父から目をそらし、稲の刈り入れが終わった田んぼをぼんやり見つめて、僕は言う。

父は黙ってグラスを口に運び、ほんの少しだけ焼酎のお湯割りを啜《すす》る。

煙草の先を灰皿に押しつけて消した。今度の吸い殻もまた長いままだった。

「デイサービス、やめちゃったんだってね」

先月から始めた訪問介護のサービスを、二、三回受けただけで、父は断ってしまった。

「多香子も……困ってたよ」

父は小さくうなずいて、僕を見た。

しょんぼりとした顔をしていた。感情がにじんでいるというわけではなく、これもまた脳梗塞が悪化したせいなのか、いまの父は目を見開くことができない。まぶたが重たげに垂れ下がって、だからいつも、父の顔はしょんぼりと寂しそうに、誰かに叱られて謝っているようにも見えるのだ。

「やっぱり、田舎の家がいいの？」

父は黙っていた。

「あのさ……」新しい煙草をくわえ、フィルターを嚙《か》みしめて、つづける。「お父ちゃんの気持ちはわからないわけじゃないけど、こんな田舎でお母ちゃんと二人きりだと、やっぱりこっちも心配なんだよ」

ライターに手を伸ばしかけ、まあいいや、と思い直して、煙草を箱に戻した。

「心配っていうか……迷惑なんだよ」

父を見ずに言った。

自分の言葉の冷たさと身勝手さと残酷さはわかっているから――「迷惑なんだ、ほんとに」と僕は静かに繰り返した。

妹の一家は、ふるさとの町から車で一時間ほどの距離にある県庁所在地に住んでいる。半年前に自宅を新築した。妹は両親を引き取って同居するつもりで部屋を用意し、床をすべてバリアフリーにして、最初の設計では階段になっていた玄関のアプローチも、車椅子で通れるようにスロープに変えた。妹の夫の哲郎《てつろう》さんも妻の両親との同居を快く受け容《い》れてくれて、長男らしいことをなにひとつしていない僕も、妹夫婦へのせめてものお礼とお詫《わ》びのしるしとして、バリアフリーやスロープの工事費用はこちらで持った。

初夏の日曜日、新築間もない妹の家に、両親はやってきた。とりあえず身の回りのものだけ持って、あとは同居をつづけながら少しずつ実家を整理して、一年後を目処《めど》に引き払う、という話になっていた。

その日は、僕も宏美や俊介を連れて東京から帰省した。僕の家族と、妹の家族——みんなが顔を揃えるのは何年ぶりかのことだった。妹の二人の娘は、おじいちゃんとおばあちゃんを歓迎してくれていた。哲郎さんも、恐縮する僕を逆に気づかうように「そばにいてもらったほうが、こっちも安心ですから」と言ってくれた。

確かにそうだ。ふるさとの実家は、昭和の初期に建てられた古い家をだましだまし手直しして使っている。人口が八千人を割り込んだ町は、昨年、隣の市に合併されて、住民サービスはさらに悪くなってしまった。鉄道は廃線寸前で、バス路線はとうに廃止になった。運転免許のない母は、町内のどこに行くにも歩くしかない。といって、母が家を空けると、父には来客に応対することはおろか電話に出ることすらできない。

病院は町内に医院が一軒、合併した市内にはそれなりの規模の病院はあるものの、「足」がなければ通院することすらおぼつかない。万が一の事態が起きたときは――それも運命だからしかたないよな、と自分に言い聞かせていた。

だから、妹が両親と同居すると言ってくれたときには、ほんとうにほっとした。父のためというより、不便な田舎での二人暮らしに疲れていた母のために、いや、両親よりもむしろ僕自身の本音として、助かった、と思ったのだった。

食卓には妹と宏美が手分けしてつくった心づくしのごちそうが並んでいた。父は焼酎のお湯割りをちびちび飲み、喉《のど》に詰まらないように小さく切り分けた料理を、少しずつ、ゆっくりと、震える箸《はし》の先からときどきぽとりと落としながら食べていた。

昔なら、こういう日の父は座を取り仕切り、おどけたり腹を揺すって笑ったりして、飲み過ぎだと母に叱られるのもまた酒のサカナになって、にぎやかに過ごしていたものだった。だが、もう父は話せない。フローリングの床に座り込んだ僕たちのおしゃべりを、一人だけ離れた場所の椅子に座って、黙って聞いているだけだった。

それでも、父は楽しそうだった。うれしそうでもあった。言葉をなくした頃から表情の変化も乏しくなった父だったが、僕だって四十三年間もこのひとの息子として生きてきたのだから、それくらいはちゃんとわかる——はずだった。

だが、半月もしないうちに、両親はふるさとに帰ってしまった。その後も大学病院の検査の日程に合わせて妹の家に寝泊まりすることはあっても、その日数は最初考えていたよりずっと少なかった。

妹の家族と折り合いが悪くなったわけではない。少なくとも多香子には思い当たるふしがないと言っていた。

なのに、父は、どうしても田舎に帰ると言い張った。こわばった口を懸命に動かし、まぶたに隠れた目を必死に見開いて、「か……え……る」と母に訴えたのだ。

母もそれに応じた。

妹夫婦に頭を下げて、荷ほどきがすんだばかりの身の回りのものを再び段ボール箱に詰めて、ふるさとに戻ってしまった。

僕には、その理由がわからない。自分から命を縮めに帰るようなものじゃないかと思ったし、心の奥のもっと深いところでは、お父ちゃんはもう死にたがってるんじゃないだろうか、とも思った。

もしもそうだとすれば——。

「お父ちゃん、なに弱気になってるんだよ、しっかりしてよ。もっと長生きしてくれなきゃ困るじゃないか」と父に言うべきなのだろうか。

東京にいるときは、なにがあっても、絶対に、叱りつけるような口調でそう言ってやるつもりだった。東京を朝一番の飛行機で発《た》ち、レンタカーに乗り継いでふるさとの町に向かう途中も、それはずっと変わらなかった。

だが、いま——夏に会ったときよりもさらに弱々しくなった父を見ていると、「生きろ」と言いつのることがいいのかどうか、わからなくなってしまった。

体の自由が利かず、言葉をなくし、表情もなくして、それでもまだ、ひとは「生きる」目的や楽しみを持ちつづけていけるものなのだろうか……。

台所から戻ってきた母は、「外はどんどん冷え込んできとるよ」と肩をすぼめた。確かに寒い。天気も悪い。十一月の終わりでも、山に囲まれたこの町の季節は、もう冬だ。もう先週から、朝には霜がおりているのだという。

「なあ、洋司《ようじ》」

母は急須《きゅうす》のお茶を湯呑《ゆの》みに注ぎながら、「今夜は泊まれんのん？」と訊《き》いた。

「うん……ごめん、夕方から仕事だし、明日の朝までにホテルでやらなきゃいけない仕事もあるから」

いまは午後一時。あと一時間ほどで家を出なければ仕事に間に合わない。

「お昼ごはんぐらいは食べるじゃろう？」

「うん……でも、いいよ」

「朝から用意して、あとは揚げるだけなんよ」

母は僕が実家に帰るときは、必ずスコッチエッグとロールキャベツをつくる。子どもの頃からの大好物だ。洋食が「おふくろの味」になるというのが、いかにもいまどきの中年男らしく、宏美にはいつも笑われてしまう。

「洋司が来るときぐらいのもんじゃけんねえ、揚げ物を家でするんは」

「……だいじょうぶなの？」

「なんが？」

「だから……油とか、危ないからさ、あんまりやってほしくないんだよね」

母はちょっと寂しそうな顔になって、「平気平気」と笑った。

「あと、ロールキャベツもつくってるの？」

「うん、あれはもう火にかけて煮込むだけじゃけんねえ」

「いまも？　火にかけてるの？」

当然のようにうなずいて、「とろ火で時間をかけて煮込んだら美味《おい》しゅうなるんよ」と笑う母に、思わず舌打ちしてしまった。

「危ないよ、止めてきてよ。いつも言ってるだろ、火にはとにかく気をつけてくれって」

狭い台所だ。昔の家らしく、居間からも遠い。万が一のことがあってもここにいては気づかないし、たとえ気づいたとしても、父や母にはなにもできない。

「ほんと、頼むよ、冬場にはストーブだって使うんだし」

この家では暖房に灯油ストーブを使っている。エアコンやファンヒーターでは、電気のブレーカーが落ちてしまうのだ。容量を上げようにも、家のつくりじたいが古いので、アンペアを上げると漏電の危険があるらしい。

「早く止めてきてよ。もしアレだったら、僕が行くから」

「ええよ、お母ちゃんが行くけん。ついでにスコッチエッグも揚げてくるわ」

母は、よっこらしょ、と立ち上がって台所に戻る。コタツに腰を落ち着ける間もなかった。部屋を出ると廊下の寒さに身を縮め、両手で胸を抱く。部屋の中と外の温度差は老人には危ない。わかっていても、どうすることもできない。

僕はため息を呑み込んで、湯呑みを手に取った。内側が茶渋で汚れている。老眼が進んでいる母の目では、もう気づくことはできないのかもしれない。

お茶を啜《すす》る。母に同じことを言うのでも、もうちょっと優しい言い方をすればよかった。いまになって悔やむ。父は黙って、窓の外に広がる冬枯れの野山の風景を見つめていた。

母がいなくなった居間は、また静かになった。

父は焼酎《しょうちゅう》のグラスを手から離さない。もうすっかりぬるくなって、中に入れた梅干しもふやけてしまっているのに、「新しいのをつくり直そうか？」と声をかけても、黙ってかぶりを振るだけだった。

これが、父の晩年だ。一日中、居間の椅子に座って、なんの代わりばえもしない窓の外を眺めながら焼酎を啜って過ごす。ときどき新聞や本を読み、テレビを観ることはあっても、母の話に気のない相槌《あいづち》を打つだけで、誰とも交わらず、話さず、笑わない一日というのがどんなものなのか——僕には見当もつかない。きっと、いまの僕と同じ年齢の頃の父だって、自分がこんな老いの日々を過ごすことになるとは夢にも思っていなかっただろう。

高校を卒業して家を出るまで、父と二人でなにかをしたという記憶はほとんどない。子どもの頃の父はただひたすら怖いだけの存在だったし、中学生や高校生になると父に反抗ばかりしてきた。大学入学を機に上京してからは、奨学金とアルバイトで生計を立て、父からはいっさい仕送りを受けなかった。就職も、結婚も、退職も、父には一言も相談せずに決めた。

あの頃の僕は、なぜあんなにも父に反発していたのだろう。

父はわが家の絶対的な君主だった。なにか気に入らないことがあると、すぐに声を荒らげ、ときには小学生の僕にも平手打ちをした。ぶたれた直接の痛みよりも、その前の、恫喝《どうかつ》にも似た憎々しげな脅し文句のほうが、幼い僕の心に深い傷を残していた。

父は酒が好きだった。わが家は裕福なほうではなく、たとえば中学時代に入っていた野球部では、ユニフォームはもちろん、スパイクやグローブ、バット、アンダーシャツに至るまで、すべて先輩からのお下がりを使った。野球部にいるのならグローブとバットぐらい買ってやらないと、という発想が両親にはなかったのか、あっても黙っていたのか、先輩の名前をサインペンで消した一着きりのアンダーシャツを物干し竿《ざお》に干しながら、父の晩酌のための酒を切らすことはなかった、そんな両親だった。父に対する反発の半分は、父に決して逆らわない母へのいらだちだったのだと、いまは思う。

父は強いひとだった。あの頃の僕はそう思っていた。腕っぷしも、酒の飲み方も、博打《ばくち》も、仕事も、物知りなところも、怒りっぽいところも、ものごとを一方的に決めつけるところも、すべて。母も、僕が幼い頃からずっと「お父ちゃんは偉いんじゃけん」と言い聞かせてきた。強い父親だから息子が反抗するのはあたりまえだよな、と生半可に納得もしていた。

違っていたのだ。

父は、強くもなんともなかった。

三十歳を過ぎた頃から、父との関係が微妙に変わってきた。反発することが減って、酔った父が問わず語りに口にする思い出話にも素直に耳を傾けるようになった。

僕はもうおとなだった。夫でもあり、父親でもあった。

おとなの僕の目に映る父の姿は、子どもの頃よりも小さくなっていた。父が歳をとったからというのではなく、昔の父が身にまとっていた「強さ」の鎧《よろい》が次々にはがれ落ちていったからだ。父は強いから毎晩酒を飲んでいたのではなかった。強いから妻や子ども相手に声を荒らげていたのではなかった。会社の上司のことを悪しざまに罵《のの》しるのも、会社を何度も辞めてしまったのも、強さからではなかったんだと、おとなの僕には、もう、わかっていたのだ。

父は強いふりをした弱いひとだった。

分厚くてたくましかった背中も、ごつごつしていた握り拳《こぶし》も、おとなの目であらためて振り返ってみると、他の父親と比べて勝っているわけではなかったんだと気づく。「生意気なことを言うな」と僕をにらみつけていたときのまなざしにも、問答無用で押し切らなければならない微妙な気弱さがにじんでいたんだと、わかるようにもなった。

そしていま、父は、もう、強いふりすらできなくなった。

部屋の四隅には、木炭を入れたカゴが置いてある。室内用の便器から漏れてくるにおいを消すために。いまの父は、尿意や便意を催してから部屋を出てトイレに向かうのでは間に合わない。夜中には布団の中で粗相をしてしまうことだって、ある。

後始末は、すべて母がする。父を風呂《ふろ》に入れるのも母が一人で――秋の初め頃には、父の体を支えているときに足を滑らせて、二人で浴槽に落ちてしまったこともあったのだという。

まう。

母は、そんなあれこれを自分からは話さない。今日のように出張のついでに実家に寄った僕が「最近どうなの?」と訊いて初めて、笑いながら教えてくれる。笑える話ではないのだ。なのに、笑う。「お父ちゃんとお母ちゃんのことは心配せんでええけんね、あんたは東京でがんばりんさい」と言う。それが僕をよけいにいらだたせてしまう。

父は、椅子の背もたれから体を起こし、肘《ひじ》掛けに手をついて、ゆっくりと腰を浮かせた。「トイレ?」と訊くと、黙ってうなずき、立ち上がろうとする。体重がかかると、腕が震える。肘掛けは丈夫なつくりだったが、なにかのはずみに腕で体を支えそこねてしまうと、父は椅子から転げ落ちて、そのまま、二度と起き上がれなくなってしまうだろう。

「だいじょうぶ? ちょっと待って、危ないから」

僕はあわてて立ち上がり、父の肩を支えた。体が軽くなった。脚も細くなった。杖のグリップを上から握り込む手の甲には、黒ずんだ染みがいくつも浮いている。

父を便器の前に立たせ、「だいじょうぶだよね? 自分でできるよね?」と念を押して部屋を出た。もしも父が手伝ってほしいというそぶりを見せたら、すぐに母を呼ぶつもりだった。

僕はおとなとして強いのか弱いのか、自分ではわからない。ただ、ずるい息子ではあるだろうな、とは認める。

廊下は寒い。足元から冷気がじわじわとまとわりついてくる。

父は今年の冬を越せるのだろうか。

たとえ春を迎えたからといって、なにも変わらない。もしかしたら、その頃にはもう昼間からオムツをあてることになっているかもしれない。認知症の症状も出ているかもしれない。もっと別の、痛みに苦しまなければならない病気に冒されてしまうかもしれない。

いつまで生きることが父の幸せなのか、僕にはわからない。

いつ、どんなふうに生涯を閉じれば、父は最も幸せな死に方を迎えたと言えるのだろう。わからない。ほんとうに、わからない。もしかしたら、父は、いちばん幸せな死のタイミングをすでに逃してしまっているんじゃないか、とも思うのだ。

母のつくってくれたスコッチエッグとロールキャベツを食べた。「ひさしぶりにつくったけん、味のほうはわからんけど」と母は言い訳するように言ったが、どちらも美味《おい》しかった。ただ、ロールキャベツは夏に食べたときよりサイズが小さくなった。

ここのところずっと、帰省して母の手料理を食べるたびに、そのことを思う。挽肉《ひきにく》とタマネギを混ぜたパテをおむすびのように丸めてキャベツでくるむ——そのロールキャベツが小さくなったのは、つまり、母の手が小さくなったということでもある。

母は、父より一つ下だから、七十三歳。もう、いつどんなことがあっても不思議ではない歳なんだ、とあらためて嚙《か》みしめる。

父は年老いた。

母も年老いた。

そして、二人はいずれ——うんと遠い「未来」や「将来」ではないうちに、僕の前から永遠に姿を消してしまう。

いつの頃からだろう、僕は両親の死を冷静に見据えるようになっていた。

二人の「老い」を実感してから、「死」の日がいずれ訪れることを受け容れるまで、思いのほか早かった。二人が亡くなるのは、もちろん、悲しい。涙だって流すだろう。だが、その涙には、自分の中のなにかが引き裂かれてしまうような痛みは溶けていないはずだ。

僕は、冷酷で身勝手な息子なのだろうか。

食事を終えると、もう実家をひきあげなければならない時間が迫っていた。

結局、父とはほとんどなにも話せなかった。代わりに、言いたかったことは食器の片づけで台所に立ったときに母にぶつけた。

「わがままなんだよ、お父ちゃんは」「お母ちゃんがそれを許すからだめなんだ」「ひとの世話になりたくないって、そんなこと言ってられるような立場じゃないだろ、もう」「それは多香子の家はここより狭いし、窓を開けても隣の家の壁しか見えないけどさ、そんなの贅沢《ぜいたく》だと思わない？」「結局、お母ちゃんにぜんぶ負担が行くわけじゃないか」「はっきり言うよ、もしお母ちゃんが倒れたりしたら、僕も、多香子も、宏美も、哲郎さんだって、みんな困るんだよ、ほんとに迷惑するんだよ」……。

また「迷惑」という言葉をつかってしまった。決して口にしてはならない言葉なんだとわかっているのに、いまの自分の気持ちをいちばん素直に伝えるには、そう言うしかない。

母は一言も言い返さなかった。「そうじゃなあ、洋司の言うとおりじゃなあ」と相槌を打ち、「それはようわかっとるんよ」とうなずき、こっちの話が途切れると、不意に「俊介は元気で学校に行きよるん？」と話を変えてしまう。

要は本気で受け止めてはいないのだ。はいはい、と受け流しているだけなのだ。

「甘やかさないでよ、お父ちゃんを」

ずっと思っていた。

最初の発作で倒れたあと、もっとしっかりリハビリをしていれば、ここまで脚が衰えることはなかった。

酒も煙草もやめられなかったのは、そばにいる母がなにも言わなかったからだ。

妹の家で同居することだって、母がもっと強い態度でいれば、父には一人で田舎に帰ることなどできなかったのだ。

まだある。もっとある。子どもの頃からのこと、すべて。

母はなにも言い返さない。

ただ一言——「ずっと、そげんしてきたけん、それ以外にやり方がわからんのよ」

と、寂しそうに笑うだけだった。


雨が降り出した。

雲の色は、重たげな鉛色の部分と、陽光がうっすら透けて底光りしている部分とが入り混じっている。

「みぞれになるかもしれんねえ……」

母は新しいお茶をいれながら言う。

「冬だよ、もう」

僕は腕時計を気にしながら言う。

父は黙って、窓の外を見つめている。

そろそろ出なければならない。なんの言葉も交わすことのない父との時間は、まるで墓参りのようなものだった。いや、いっそ、真新しい御影石《みかげいし》の墓と向き合ったほうが、たくさん話せて、もしかしたら遠くから父の返事だって聞こえてくるかもしれない。

お父ちゃん——。

田舎に帰るたびに、思う。ほんとうに僕が訊きたいことは、一つしかないんだと。

お父ちゃん、まだ生きていたい——？

生きていることは、楽しい——？

なんの楽しみもなくても、一日でも長く生きていたい——？

決して訊けないから、その問いは胸の奥から消えることはない。それが消えたとき、僕は生まれて初めての喪主をつとめているだろう。この数年ですっかり人付き合いをしなくなった父の葬儀は、きっと、寂しいものだろう。父を悼むよりも、むしろ母が楽になったことを喜んでくれるひとのほうが多いかもしれない。

「今日は、洋司が来てくれたけん、お父ちゃんもご機嫌やねえ」

母は父の顔を覗《のぞ》き込んで「ねえ？」と笑う。父は目を閉じて、頬をゆるめる。照れくさそうに、少し困ったように、でもさっきまでとは違って、ほんとうに笑っているんだとわかる頬のゆるみ方だった。

父はゆっくりと目を開け、ふと思いだした顔になって母を見た。それだけで母には通じた。「あ、いけんいけん、忘れとったわ」とコタツから出た母は、「洋司、まだ時間あるじゃろ？　二、三分でええけん」と言って、ばたばたと部屋を出て行った。走ったら危ない、転んで脚の骨でも折ったらどうするんだ、何度も口を酸っぱくして言っているのにわからない。

やれやれ、とため息をついて、父を振り向いた。「なんなの？　忘れてたものって」と訊いた。

返事はない――はずだった。最初からそれはわかっていて、あきらめていて、胸の中に澱《よど》むため息の残りを吐き出すために声をかけただけだった。

だが、父は口を小さく動かした。

て、え……ぷ。

かすれた声で言って、ほんのそれだけで体力を使い果たしたように、肩で息をついた。

「テープ？　いま、テープって言ったの？」

今度はもう、黙ってうなずくだけだった。

母が戻ってきた。手に、妹が高校時代に使っていた古いラジカセを提げていた。

「納戸の整理をしとったら、昔のカセットテープが出てきたんよ。洋司、あんた、これ覚えとらん？」

母が見せたのは、ラベルに『試聴用』と書いてあるテープだった。覚えている。僕が小学五年生の頃、わが家は初めてカセットテープレコーダーを買った。このテープは、そのときに電器屋さんが付けてくれたものだ。演奏だけの海外のポップスが何曲か入っていたはずだが……たしか、父が……。

はっと気づいて顔を上げると、母は「そうなんよ」と笑った。「みんなで吹き込んだんよね、順番に」

せっかちな父は、明日には生テープを買ってくるからというのを待ちきれずに、試聴用テープに自分たちの声を録音してみようと言い出したのだ。酔っていたはずだ。ご機嫌になって、おしゃべりにもなって、酔いがまわりすぎて荒れるまでの凪《なぎ》のようなタイミングだったのだろう、たぶん。

「お父ちゃんと二人で聴いとるんよ、なんべんもなんべんも」

母はそう言ってテープレコーダーの再生ボタンを押し込んだ。シャリシャリしたノイズのあと、多香子の声が聞こえた。まだ小学二年生の多香子ははしゃいで笑うだけだった。次に母が「もう入っとるん？　しゃべってもええん？」と言って、僕に「入っとるよ、赤い光がついとるが」と笑われた。その僕は、声変わりのすんでいない甲高《かんだか》い声で「あー、あー、本日は晴天なり」と言って、最後に父がマイクに向かった。

「まあ……アレじゃ、こげな便利なもんができたんじゃのう、いうて……なにを言やあええんかのう……おい、洋司、もうええ、停めえ、停めえ、なんか恥ずかしいがな……」

父の声だ。まだ四十代になるかならないかの頃の父だ。間違いない。父はこんな声で、こんなふうにしゃべっていたのだ。

母がテープを停める。僕は父を振り返る。父は窓の外を見つめていた。

雨はやはり、みぞれ混じりになっていた。重たげで冷たげな銀色の粒が、空からとめどなく降ってくる。

寒々しい風景だ。いっそ雪になってくれたほうが、外が明るくなるぶん、気持ちも沈み込まずにすむのに。

それでも――いまは、みぞれの季節なんだと自分に言い聞かせた。秋と冬の境目に、わが家はいる。次の春が来るのかどうかはわからない。ただ、もう今年の夏は過ぎた。秋も終わった。年老いた父と母は、二人で、静かに、冬ごもりの準備に入っている。

「お母ちゃん、もう一回聴かせてよ」

「時間ええん？」

「だいじょうぶ……もう一回だけ、聴いて帰るから」

母はうなずいてテープの巻き戻しボタンを押し、そっと僕に目配せして、父のほうに小さく顎をしゃくった。

父は窓の外を見つめている。みぞれの降りしきる寂しい風景をじっと見つめる目に、涙が浮かんでいた。

あとがき

息をするように「お話」を書きたい。傲慢《ごうまん》に聞こえてしまったら謝るしかないのだが、ずっとそう思っている。

虚構の世界をきっちりとつくりこみ、語り方をさまざまにたくらんだ「小説」の素晴らしさについては、読み手として強く憧《あこが》れている。それでも、時代や社会——要は世間の中から生み出される、暮らしと地続きの「お話」だって捨てたものではない。書き手としての自分は、むしろそちらのほうに強く惹《ひ》かれているのだとも思う。

僕がこれまで書いてきた（そしてこれからも書いていくはずの）「お話」は、「これ話したっけ、俺の知り合いにこんな奴《やつ》がいるんだけど……」と語り起こされる世間話と根っこのところはつながっている。いわば世間話を職業的にでっちあげる書き手なのである。だとすれば、自分の生きてきた時代、生きている社会、流行《はや》りモノ、風潮、世相、あるいは自分自身の体験や状況は、まるごと「お話」を生み出す源になる。息をするように書きたい、というのは、つまり、そういう意味なのである。

本書に収めた「お話」もすべて、そんなふうにして書きつけられた。一九九九年から二〇〇七年まで、一冊の短編集としてはタイムスパンがやや長いものとなった。当然、それぞれの「お話」の息づかいも異なっているのだが、手直しは必要最小限にとどめておいた。連作ふうに息づかいをそろえるのではなく、不ぞろいな息づかいの、その揺らぎを楽しんでいただけないか、と考えたのである。文庫というハンディな——いつでもどこでも読める器に収めてもらったことも含めて、目次の並びにこだわらず、興味を惹かれた「お話」からめくっていただければうれしいし、「興味を惹かれたものなど一つもないぞ」と言われたらどうしよう、と少しドキドキもしている。

それぞれの「お話」の雑誌初出の際の担当編集者諸氏、本書をまとめていただいた角川書店の末安慶子さん、装幀の高柳雅人さん、装画の水口かよこさんに心から感謝する。

そしてなにより、本書を手に取ってくださったひと、読んでくださったひとに、ありったけの「ありがとうございました」を捧げたいと思う。

二〇〇八年六月

重松　清

初出一覧

拝啓ノストラダムス様　「サンデー毎日」2000年7月30日号～同年9月3日号
正義感モバイル　「サンデー毎日」1999年11月14日号～同年12月12日号
砲丸ママ　「小説現代」2007年1月号
電光セッカチ　「サンデー毎日」2000年5月21日号～同年6月18日号
遅霜おりた朝　「サンデー毎日」2000年6月25日号～同年7月23日号
石の女　「サンデー毎日」2000年1月30日号～同年2月27日号
メグちゃん危機一髪　「別冊文藝春秋」2003年11月号
へなちょこ立志篇　「サンデー毎日」2000年11月19日号～同年12月17日号
望郷波止場　「別冊文藝春秋」2004年11月号
ひとしずく　「小説現代」2005年5月号
みぞれ　「野性時代」2006年12月号

みぞれ

重松《しげまつ》 清《きよし》

角川文庫 15235

平成二十年七月二十五日　初版発行

発行者—井上伸一郎
発行所—株式会社角川書店
東京都千代田区富士見二—十三—三
電話・編集（〇三）三二三八—八五五五
〒一〇二—八〇七八
発売元—株式会社角川グループパブリッシング
東京都千代田区富士見二—十三—三
電話・営業（〇三）三二三八—八五二一
〒一〇二—八一七七
http://www.kadokawa.co.jp
印刷所—旭印刷　製本所—BBC
装幀者—杉浦康平

し 29-6　ISBN978-4-04-364606-7　C0193

角川文庫発刊に際して

角川源義

第二次世界大戦の敗北は、軍事力の敗北であった以上に、私たちの若い文化力の敗退であった。私たちの文化が戦争に対して如何に無力であり、単なるあだ花に過ぎなかったかを、私たちは身を以て体験し痛感した。西洋近代文化の摂取にとって、明治以後八十年の歳月は決して短かすぎたとは言えない。にもかかわらず、近代文化の伝統を確立し、自由な批判と柔軟な良識に富む文化層として自らを形成することに私たちは失敗して来た。そしてこれは、各層への文化の普及滲透を任務とする出版人の責任でもあった。

一九四五年以来、私たちは再び振出しに戻り、第一歩から踏み出すことを余儀なくされた。これは大きな不幸ではあるが、反面、これまでの混沌・未熟・歪曲の中にあった我が国の文化に秩序と確たる基礎を齎らすためには絶好の機会でもある。角川書店は、このような祖国の文化的危機にあたり、微力をも顧みず再建の礎石たるべき抱負と決意とをもって出発したが、ここに創立以来の念願を果すべく角川文庫を発刊する。これまで刊行されたあらゆる全集叢書文庫類の長所と短所とを検討し、古今東西の不朽の典籍を、良心的編集のもとに、廉価に、そして書架にふさわしい美本として、多くのひとびとに提供しようとする。しかし私たちは徒らに百科全書的な知識のジレッタントを作ることを目的とせず、あくまで祖国の文化に秩序と再建への道を示し、この文庫を角川書店の栄ある事業として、今後永久に継続発展せしめ、学芸と教養との殿堂として大成せんことを期したい。多くの読書子の愛情ある忠言と支持とによって、この希望と抱負とを完遂せしめられんことを願う。

一九四九年五月三日

角川文庫　重松 清の好評既刊

かっぽん屋

十五歳。頭のなかにあることといったらただ一つ、かっぽん——。憧れと妄想に身を持て余す思春期の少年たちの、ひたすらな性への関心をユーモラスに描いて、もどかしい青春の痛みを鮮やかに蘇らせた表題作のほか、デビュー間もない時期に書き下ろされた奇想天外な物語など、全八編を収録。これ一冊で作家・重松清のバラエティと軌跡が存分に味わえる著者初の文庫オリジナル短編集。巻末には貴重なロングインタビュー二本も併録。

ISBN 978-4-04-364601-2

疾走 上

広大な干拓地と水平線が広がる町に暮らす中学生のシュウジは、寡黙な父と気弱な母、地元有数の進学校に通う兄の四人家族だった。教会に顔を出しながら陸上に励むシュウジ。が、町に一大リゾートの開発計画が持ち上がり、優秀だったはずの兄が犯したある犯罪をきっかけに、シュウジ一家はたちまち苦難の道へと追い込まれる……。十五歳の少年が背負った苛烈な運命を描いて、各紙誌で絶賛された、奇跡の衝撃作！

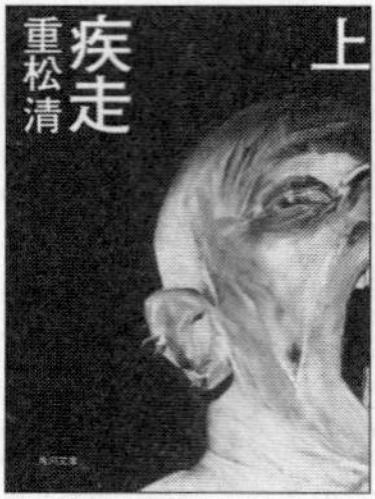

ISBN 978-4-04-364602-9

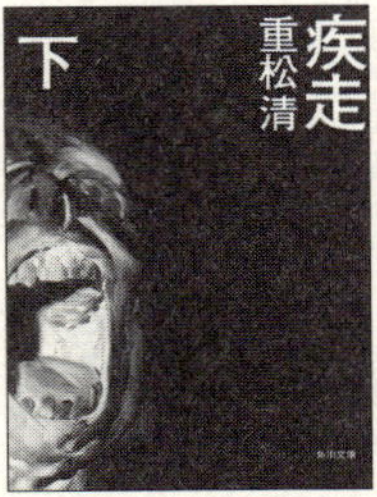

ISBN 978-4-04-364603-6

角川文庫 重松 清の好評既刊

哀愁的東京

進藤宏。四十歳。新作が描けなくなった絵本作家。フリーライターの仕事で生計を立てる進藤は、さまざまなひとに出会う。破滅の時を目前にした起業家、閉園する遊園地のピエロ、人気のピークを過ぎたアイドル歌手、生の実感をなくしたエリート社員……。進藤はスケッチをつづける。時が流れることの哀しみを嚙みしめ、東京という街が織りなすドラマを見つめて——。「今日」の哀しさから始まる「明日」の光を描く連作長編。

ISBN 978-4-04-364604-3

角川文庫　**重松 清の好評既刊**

うちのパパが言うことには

高度成長期に産湯を使った。テレビのヒーローに正義と勇気を教わった。アポロと万博が見せてくれた明るい未来を信じていても、水爆とノストラダムスの大予言はやっぱり怖かった。そんな一九七〇年代型少年は、やがて夫になり、父親になって、不惑を超えた。たとえヒーローにはなれずじまいでも、生きていくのはあんがい悪くない――。著者自らの歩みをたどりつつ、「いま」と「あの頃」を見つめて綴った、珠玉のエッセイ集。

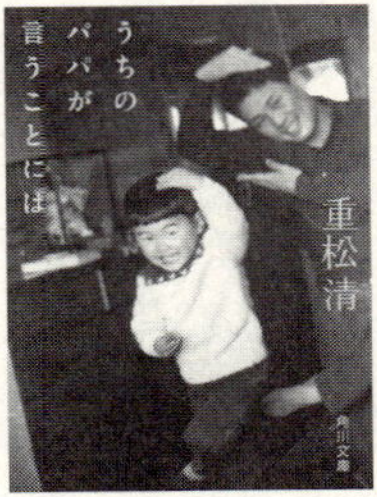

ISBN 978-4-04-364605-0

角川文庫ベストセラー

赤川次郎ベストセレクション①
セーラー服と機関銃
赤川次郎

星泉、17歳の高校二年生。父の死をきっかけに、弱小ヤクザ・目高組の組長を襲名することになってしまった！　永遠のベストセラー作品！

赤川次郎ベストセレクション②
セーラー服と機関銃・その後 ――卒業――
赤川次郎

18歳、高校三年生になった星泉。卒業を目前にして平穏な生活を送りたいと願っているのに周囲がそれを許してくれない。泉は再び立ち上がる!?

赤川次郎ベストセレクション③
悪妻に捧げるレクイエム
赤川次郎

ひとつのペンネームで小説を共同執筆する四人の男たち。彼らが選んだ新作のテーマは「妻を殺す方法」だった――。新感覚ミステリーの傑作。

赤川次郎ベストセレクション④
晴れ、ときどき殺人
赤川次郎

私は嘘の証言をして無実の人を死に追いやった――北里財閥の当主浪子は19歳の一人娘加奈子に衝撃的な手紙を残し急死。恐怖の殺人劇の幕開き！

赤川次郎ベストセレクション⑤
プロメテウスの乙女
赤川次郎

急速に軍国主義化する日本。そこには少女だけで構成される武装組織『プロメテウスの処女』があった。赤川次郎の傑作近未来サスペンス！

赤川次郎ベストセレクション⑥
探偵物語
赤川次郎

探偵事務所に勤める辻山、43歳。女子大生直美の監視と「おもり」が命じられた。密かに後をつけるが、あっという間に尾行はばれて……。

赤川次郎ベストセレクション⑦
殺人よ、こんにちは
赤川次郎

今日、パパが死んだ。昨日かもしれないけど、私には分らない。でも私は知っている。本当は、ママがパパを殺したんだっていうことを……。

角川文庫ベストセラー

赤川次郎ベストセレクション⑧
殺人よ、さようなら　赤川次郎

あれから三年、ユキがあの海辺に帰ってきた。ところが新たな殺人事件が――目の前で少女が殺され、奇怪なメッセージが次々と届き始めた!

赤川次郎ベストセレクション⑨
哀愁時代　赤川次郎

楽しい大学生活を過ごしていた純江。ある出来事から彼女の運命は暗転していく。若い女性に訪れた、悲しい恋の顚末を描くラブ・サスペンス。

赤川次郎ベストセレクション⑩
血とバラ 懐しの名画ミステリー　赤川次郎

紳二は心配でならなかった。婚約者の素子の様子がヨーロッパから帰って以来どうもおかしい――。趣向に満ちた傑作ミステリー五編収録!

愛がなんだ　角田光代

OLのテルコはマモちゃんにベタ惚れ。全てが彼最優先で会社もクビ寸前。だが彼はテルコに恋していない。直木賞作家が綴る、極上〝片思い〟小説。

もういちど走り出そう　川島誠

インターハイ三位の実力を持つ元400mハードル選手が順調な人生の半ばで出逢った挫折と再生を、繊細にほろ苦く描いた感動作。(解説・重松清)

F 落第生　鷺沢萠

恋において、彼女の成績は「F《不可》」。普通のことを普通にしてくれる人、それだけが望みだった――。落ちこぼれそうななかから彼女がつかんだものは。

バイバイ　鷺沢萠

ただひとつの問題は、勝利に、朱実以外にもそういうつきあいをしている女性が、あと二人いることだった。嘘が寂しさを埋めるはずだった……。

角川文庫ベストセラー

わらは怪しい探険隊　椎名誠

潮騒うずまく伊良湖の沖に、やって来ました「東日本何でもケトばす会」。ドタバタ、ハチャメチャの連日連夜。男だけのおもしろ世界。

あやしい探検隊 北へ　椎名誠

椎名隊長の厳しい隊規にのっとって、めざすは北のウニ、ホヤ、演歌。たき火、宴会に命をかける「あやしい探検隊」の全記録。

あやしい探検隊 不思議島へ行く　椎名誠

日本の最西端、与那国島でカジキマグロの漁に出る。北端のイソモシリ島でカニ鍋のうまさと、国境という現実を知る。東ケト会黄金期。

あやしい探検隊 海で笑う　椎名誠

世界最大のサンゴ礁グレートバリアリーフで、初のダイビング体験。国際的になってきた豪快・素朴な海の冒険。写真＝中村征夫。

あやしい探検隊 アフリカ乱入　椎名誠

サファリを歩き、マサイと話し、キリマンジャロの頂に雪を見るという、椎名隊長率いるあやしい探検隊五人の出たとこ勝負、アフリカ編。

あやしい探検隊 焚火酔虎伝《たきびすいこでん》　椎名誠

椎名誠隊長ひきいる元祖ナベカマ突撃天幕団こと「あやしい探検隊」が八ガ岳、神津島、富士山、男体山へ。焚火とテントを愛する男たちの痛快記。

あやしい探検隊 バリ島横恋慕　椎名誠

ガムランのけだるい音に誘われ、さまよいこんだ神の島。熱帯の風に吹かれて酔眼朦朧。行き当たりバッタリ、バリ島ジャランポラン旅！

角川文庫ベストセラー

十九歳のジェイコブ　中上健次

クスリで濁った頭と体を、ジャズに共鳴させるジェイコブ。精緻な構成と文体で、死をもってしか解決できない愛と憎しみを描いた名作の復刊！

虞美人草　夏目漱石

「生か死か」という第一義の道にこそ人間の真の生き方があるという漱石独自のセオリーは、以後の漱石文学の方向である。

三四郎　夏目漱石

「無意識の偽善」という問題をめぐって愛さんとして愛を得ず、愛されんとして愛を得ない複雑な愛の心理を描く。

それから　夏目漱石

社会の掟に背いて友人の妻に恋慕をよせる主人公の苦悶。三角関係を通して追求したのは、分裂と破綻を約束された愛の運命というテーマであった。

門　夏目漱石

他人の犠牲で成立した宗助とお米の愛。それはやがて罪の苦しみにおそわれる。そこに真の意味の求道者としての漱石の面目がある。

ナンシー関の顔面手帖　ナンシー関

日頃から気になる愛すべき「ヘン」な著名人達。そんな彼らへの熱き想いと素朴な疑問を、彫り尽くす！　抱腹絶倒、痛快人物コラム&版画作品集。

何様のつもり　ナンシー関

トレンディドラマの人気、商品当てクイズ番組の貧乏臭さ、そして公共広告機構CMの恐怖……。辛口にして鮮やか、痛快TVコラム集第二弾！